CW01024576

GENTE JOVEN 2

CURSO DE ESPAÑOL PARA JÓVENES

Encina Alonso Arija
Matilde Martínez Sallés
Neus Sans Baulenas

Autoras: Encina Alonso, Matilde Martínez, Neus Sans

Coordinación editorial y redacción: Laia Sant

Diseño y maquetación: Besada+Cukar

Glosario: Silvia López y Antoni Terrades (elaboración), Sheila Hardie, Beatriu de Haro y Milica Sandrine Kecman (traducción).

Ilustraciones: Martín Tognola, excepto: Javier Andrada (pág. 57, *Países de habla hispana*), Òscar Domènech (págs. 36 - 37, 49), Enric Font (pág. 64, *Gramática y comunicación*), Man (cómic *La peña del garaje*), Ricardo Polo (pág. 38), Ernesto Rodríguez (p. 31), David Revilla (págs. 60, 72, 75).

Fotografías: Kota, excepto: unidad 1 pág. 10 Apple Inc., STMA-Bharath Ramamrutham, Marcelo Poleze/Dreamstime, Ulrich Mueller/ Dreamstime, ST-Venezuela; pág. 11 ST-Venezuela, Dayon Moíz, apomares/iStockphoto.com, ST-Venezuela, Dayon Moíz; pág. 12 Guy Schmidt/ Flickr; pág. 13 Saul Tiff; pág. 18 IES Marqués de Santillana, CEIP Octavio Paz; pág. 19 IES Solidario, www.bekia.es; pág. 21 Roger De Marfà Taillefer/Photaki; **unidad 2** pág. 22 Ingram Publishing, Wire Image, www.aracelisegarra.com; pág. 23 www.grupocortefielnews.com, aracel2.wix. com/tina, www.aracelisegarra.com, aracelisegarra.wix.com/shirtas; pág. 24 www.segundoanfiteatro.es, EFE/Acero / www.efetur.com; pág. 25 www.cultureelpersbureau.nl; pág. 26 www.museoreinasofia.es; pág. 27 Encina Alonso; pág. 30 Bernard Gagnon/wikimediacommons, thefabweb. com, Pasoandado/pasoandado.blogspot.com.es, www.diariodelhuila.com; pág. 31 www.universalmusica.com; pág. 33 www.espanishlive.com, lodijo.com; **unidad 3** pág. 34 Macdaddy, www.transgredos.es, Pablo Zarzuelo/es.trekearth.com, Beatriz Villa; pág. 35 José Dracos/Flickr, Jose Ramon Prieto Diaz/Photaki, galiciaenfotos.com; pág. 39 J.P. Fuentes/Photaki, elportaldesusana.files.wordpress; pág. 42 photl.com, rdacbx.blogs-pot.com.es, www.sud.ch, www.dclk.de; pág. 43 www.sindicatodelsonido.com, www.elchojin.net, heymusica.com; pág. 44 historietasreales.word-press, Bjorn Hovdal/Dreamstime, www.mercadolibre.com.ar; pág. 45 ACI Agencia de fotografía, Gerry Pacher/ibytes.es, Ccat82/Dreamstime, www.tusanuncios.com; **unidad 4** pág. 46 Thinkstock, Mayatskyy/Dreamstime, Schizoform/Flickr, www.culturacolectiva.com, Uli Danner/ Dreamstime; pág. 48 Mrmessy2/Dreamstime, Razihusin/Photaki, Empire331/Dreamstime, Regimantas Ramanauskas/Dreamstime, Wikimedia Commons, www.taringa.net, bananaverde.wordpress.com, Maria Carme Balcells/Dreamstime, Maksym Yemelyanov/Dreamstime, Leigh Prather/ Dreamstime, Geargodz/Dreamstime, Grzym/Dreamstime, Steve Allen/Dreamstime; pág. 54 Miguel Marn/Wikimedia Commons, Rodigest/ Dreamstime, Norman Chan/Dreamstime, Paul Van Eykelen/Dreamstime; pág. 56 veritas-boss.blogspot.com.es, Pilar Carilla; **unidad 5** pág. 58 Alain Lacroix/Dreamstime, Berc/Dreamstime, Elena Elisseeva/Photaki, Grafvision/Dreamstime; pág. 59 Saul Tiff, Lidia Ryzhenko/Dreamstime, Valentin Armianu/Dreamstime, Saul Tiff; pág. 60 Wikimedia Commons; pág. 61 Lukas Fieber; pág. 63 Encina Alonso; pág. 66 Getty Images, Colita/ www.museoreinasofia.es; pág. 67 José María Silva/Wikimedia Commons, APF/Getty Images; pág. 69 www.diariodemallorca.es, Pimkie/Flickr; **unidad 6** pág. 70 photos.com, Adimas/Fotolia; pág. 71 Chapuisat/Flickr, Casther/Dreamstime, Zhudifent/iStockphoto; pág. 72 Noam Armonn/ Dreamstime; pág. 73 Elena Elisseeva/Photaki; pág. 74 José Ramón Pizarro/Photaki, Saul Tiff, Tamorian/Wikimedia Commons; pág. 78 Einalem/ Flickr, Ron Sumners/Dreamstime, Dionhinchcliffe/Flickr, besada+cukar (mapas); pág. 79 Steve Bridger, Nathalie Dulex, Jasna01/Dreamstime; pág. 80 Ingram Publishing; pág. 81 Richard Gunion/Dreamstime, Packelle/Fotolia, Patryk Kosmider/Fotolia, Gonzalo Cáceres Dancuart/Photaki, Flik47/Dreamstime, www.kalamazoo.es, Wavebreak Media/Photaki. Fondos de Thinkstock y Shutterstock.

Todas las fotografías de Flickr.com y Wikimedia Commons están sujetas a licencias de Creative Commons (Reconocimiento 2.0 y 3.0).

Locuciones: Jefferson Arese, Iñaki Calvo, Cristina Carrasco, Loren Cartagena, Joshua Cortés, Esther Gil, Moisés de Gomar, Adriana González, Judith Gutiérrez, Joel León, Raquel López, María Ángeles Martínez, Edith Moreno, Rosa Moyano, Mocho, Jorge Peña, Nathalia Ramírez, Leila Salem, Judith San Segundo, David Serra, Carlos Vargas, Práxedes de Villalonga, Pol Wagner. **Técnico de sonido:** Blind Records.

Canciones: Unidad 1 El sueño de Morfeo, **Unidad 2** Juanes, **Unidad 3** El Chojin, **Unidad 4** Paco Ibáñez (versión), **Unidades 5 y 6** Pol Wagner

Agradecimientos: Aleix Bayé, Laura Bayé, Marta Boades, Pilar Carilla, Jaume Cabruja, Sammy Delaye, Escuela Octavio Paz de Barcelona, Vicente Sabater, Fernando Serrano, Banda de la Escuela Municipal de Música y Danza Maestro Alonso, Cristina Esporrín, Rossana Gómez, Martí Gumbert, Sam Gutiérrez, Sara Gutiérrez, IES Marqués de Santillana de Torrelavega, Charo Izquierdo, Erich Koller, Paula Koller, Mercè Martínez, Albert Miquel, Eduard Miquel, Judith Mir, Dayon Moíz, José Ángel Molina (IES Solidario), Aristote Musesambili, Marta Nieva, Alba Rabassedas, Mireia Turró, Emilio Uberuaga, Beatriz Villa, Xavier Viñas, Pol Wagner. **IES Mercè Rodoreda de L'Hospitalet de Llobregat (Barcelona), a su profesor y alumnos:** Alba Aranda, Agnès Blanch, Josep Bernaus, Mar Estanyol, Joel León, Anna Gómez, Judith Gutiérrez, Jaime Montes, Nathalia Ramírez, Marcel Tena, Carlos Vargas.

Queda prohibida cualquier forma de reproducción, distribución, comunicación pública y transformación de esta obra sin contar con la autorización de los titulares de la propiedad intelectual. La infracción de los derechos mencionados puede ser constitutiva de delito contra la propiedad intelectual (arts. 270 y ss. Código Penal).

FSC MIXTO
Papel procedente de fuentes responsables
FSC® C125125
www.fsc.org

© Las autoras y Difusión S.L. Barcelona 2013
ISBN: 978-84-15620-87-7
ISBN versión híbrida: 978-84-19236-43-2
Reimpresión: mayo 2022
Impreso en la UE

difusión
Centro de
Investigación y
Publicaciones
de Idiomas, S. L.

C/ Trafalgar, 10, entlo. 1ª
08010 Barcelona
Tel. (+34) 93 268 03 00
Fax (+34) 93 310 33 40
editorial@difusion.com

www.difusion.com

Gente joven Nueva edición está diseñado siguiendo el enfoque por tareas. ¿Qué quiere decir esto? Pues que creemos que las lenguas se aprenden sobre todo haciendo cosas interesantes y divertidas con ellas. Se aprende a hablar hablando y a escribir, escribiendo, igual que se aprende a bailar o a jugar al fútbol practicando.

Cada unidad empieza con una portadilla en la que se explica qué **proyecto** vas a hacer, qué **competencias** vas a desarrollar y qué **estructuras lingüísticas** vas a necesitar.

A partir de una serie de **imágenes** y de **ejemplos de lengua en contexto** vas a entrar en contacto con el tema de la unidad.

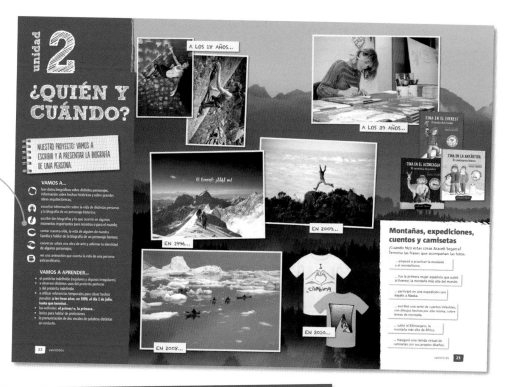

En las páginas siguientes, encontrarás una serie de **actividades**. Leyendo y escuchando los textos, jugando, haciendo teatro, escribiendo solo o en grupo, etc. vas a descubrir cómo funciona el español y vas a practicarlo en situaciones de comunicación auténtica con tu profesor y tus compañeros.

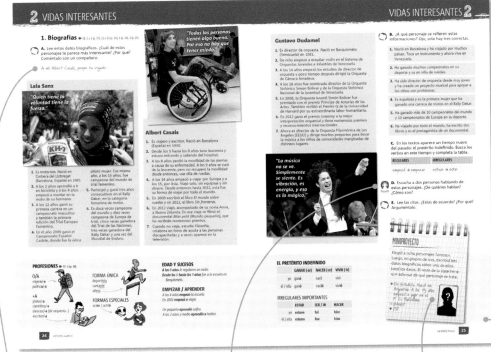

En las páginas de actividades encontrarás **ayudas léxicas y gramaticales** y modelos para poder imitar y usar.

En las actividades y los ejercicios encontrarás **ejemplos** como este para saber lo que tú y tus compañeros tenéis que decir o escribir.

Este icono te indica que la actividad incluye documentos auditivos y qué pistas tienes que escuchar.

Pistas de audio disponibles en **campus.difusion.com** o descargables gratuitamente en **difusion.com/gjne2_audio**.

Al terminar una doble página de actividades podrás poner en práctica todo lo que has aprendido con un **miniproyecto**. Para lograr el objetivo propuesto, necesitarás cooperar con tus compañeros y poner en juego varias competencias en lengua española.

En la sección de **Reglas, palabras y sonidos** podrás estudiar y seguir practicando las reglas y el vocabulario que necesitas mediante ejercicios centrados en un único tema lingüístico.

También dispondrás de **presentaciones muy visuales de aspectos léxicos** importantes en la unidad que te ayudarán a memorizar y a practicar el nuevo vocabulario.

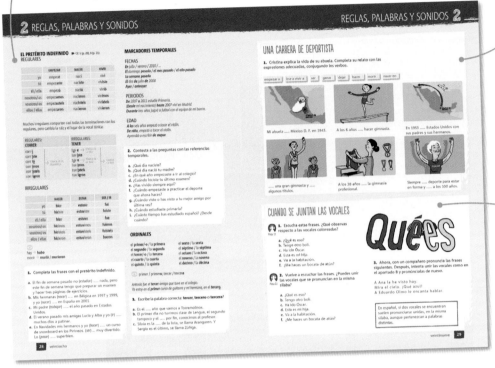

Además, aprenderás a discriminar, a pronunciar y a escribir algunos **sonidos del español** que pueden ser difíciles para ti.

En **La Revista** hemos incluido textos relacionados con los temas de la unidad. De esta forma, a tu ritmo, puedes aprender más sobre la cultura hispana y sobre los países en los que se habla español.

También podrás aprender **poemas** y cantar **canciones** y sabrás de qué va el **vídeo** de la unidad.

Y conocerás las historias, en forma de **cómic**, de un grupo de amigos: *La Peña del garaje*.

En la página de **Nuestro proyecto** encontrarás el proyecto de la unidad. Para realizarlos vas a necesitar poner en juego varias competencias y usar lo que has aprendido en las páginas anteriores.

Puedes hacer y presentar los proyectos usando las nuevas tecnologías (filmando, grabando, con ordenador y con el proyector de la clase...). O si lo prefieres, también los puedes hacer con rotuladores, cartulinas, disfraces... y siempre tendrás que hablar con tus compañeros para realizarlos y para presentarlos a la clase.

Al terminar la unidad, el profesor podrá **evaluar** si eres capaz de poner en práctica todo lo que has aprendido. Para ello deberás usar las cinco competencias básicas: la **comprensión escrita**, la **comprensión oral**, la **expresión escrita**, la **expresión oral** y la **interacción oral**.

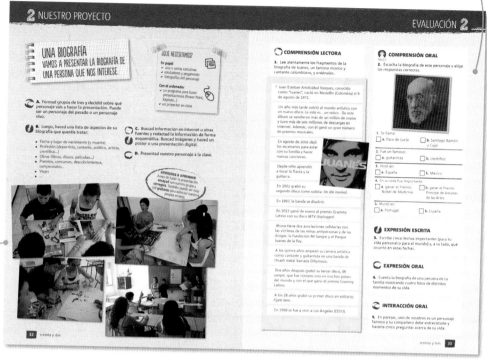

En el resumen de **Gramática y comunicación** podrás consultar tus dudas y también encontrarás más ejemplos de todos los recursos que necesitas para comunicarte en español.

En **Mi vocabulario** vas a encontrar las palabras más importantes del libro ordenadas por unidades y alfabéticamente.

Al final del libro podrás consultar algunos datos sobre todos los **Países de habla hispana**: población, clima, lenguas, cultura...

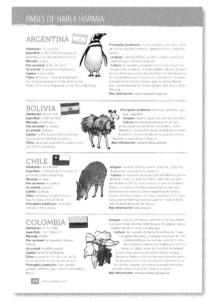

Recursos para estudiantes y docentes

campusdifusión

Actividades interactivas de léxico y gramática, ejercicios para trabajar con los audios y los vídeos y otros materiales que te van a ayudar a seguir aprendiendo.

ÍNDICE

	PROYECTOS	VÍDEO	COMPETENCIAS COMUNICATIVAS	ESTRATEGIAS
unidad 1 ¡ADIÓS AL VERANO! PÁGINA 10	• Vamos a crear un grupo en una red social o un blog sobre nuestra clase.	• *Una banda de música en San Lorenzo de El Escorial.* La banda de la Escuela Municipal de Música de San Lorenzo de El Escorial va a dar su concierto de fin de curso.	• Leer sobre hechos pasados recientes en un diario de vacaciones y leer un cómic. • Escuchar una entrevista con un joven actor y una conversación sobre la vuelta al colegio. • Escribir una lista de buenos propósitos y hacer una ficha con información personal. • Relatar y valorar hechos pasados recientes y hablar de deseos e intenciones. • Conversar sobre cambios y sobre experiencias recientes e intercambiar información personal.	• Activar el vocabulario conocido antes de leer sobre un tema. • Fijarse en la entonación e imitarla para mejorar la comprensión auditiva y la expresión oral. • Calcular bien el tiempo disponible para hacer el proyecto de la clase.
unidad 2 ¿QUIÉN Y CUÁNDO? PÁGINA 22	• Vamos a escribir y a presentar la biografía de una persona.	• *Una vida para contarla.* La vida extraordinaria de Rossana, una mexicana con una gran familia que ha viajado por todo el mundo.	• Leer datos biográficos sobre distintos personajes, información sobre hechos históricos y sobre grandes obras arquitectónicas. • Escuchar información sobre la vida de distintas personas. • Escribir datos biográficos y describir hechos importantes. • Contar nuestra vida y la biografía de un personaje famoso. • Conversar sobre una obra de arte y adivinar la identidad de algunos personajes.	• Aplicar las estrategias para la comprensión lectora ya conocidas: hacer hipótesis fijándose en el paratexto y en el contexto, activar vocabulario conocido, deducir el significado de algunas palabras… • Ensayar una presentación oral grabándose y corrigiendo sus errores de forma individual y en grupo mediante la observación.
unidad 3 AQUÍ VIVO YO PÁGINA 34	• Vamos a hacer un juego de pistas por la escuela para encontrar un objeto escondido.	• *El barrio de Marta.* Una chica de 13 años que vive en Coslada, cerca de Madrid, nos enseña su barrio.	• Leer distintos textos sobre pueblos y barrios y un artículo sobre el *hip hop*. • Escuchar conversaciones en las que se buscan y localizan objetos y unas instrucciones para dibujar un plano. • Dar nuestra opinión en un foro sobre un barrio y describir un lugar. • Contar cómo es el lugar donde vivimos. • Situar lugares en un barrio y comentar lo que nos gusta y lo que no de nuestro barrio.	• Mejorar la pronunciación y la entonación representando una escena dialogada en clase. • Memorizar vocabulario y observar las estrategias que resultan más útiles a cada uno.

ÍNDICE

GRAMÁTICA	LÉXICO	FONÉTICA	CULTURA Y CIVILIZACIÓN
• Pronombres interrogativos: **dónde, con quién, cuánto tiempo, qué, cómo, cuál**... • **El mismo/-a/-os/-as; otro/-a/-os/-as**. • El presente de indicativo: usos y algunos irregulares. • El pretérito perfecto: formación y usos. • **Ir a** + infinitivo: usos. • **Estar** + gerundio: formación y usos. • **Querer / tener ganas de** + infinitivo.	• Léxico para relatar y para hablar de las vacaciones: **estar en, pasar por, pasar ... días en, pasarlo bien / mal, hacer un/a excursión / viaje por**...	• La entonación en las preguntas.	• Formas de pasar las vacaciones de chicos españoles y latinoamericanos. • Proyectos solidarios de distintas escuelas españolas. • Una banda municipal de música en la ciudad de El Escorial. • El grupo de pop español El sueño de Morfeo.
• El pretérito indefinido: regulares y algunos irregulares. • Usos del pretérito perfecto y del pretérito indefinido. • Referencias temporales para situar hechos pasados: **a los ... años, en 1990, el día 1 de julio, desde ... hasta**... • Los ordinales: **el primer/o, la primera**...	• Léxico para hablar de profesiones. • Léxico para referirse a momentos de la vida: **nacer, empezar (a)..., aprender (a)..., dejar, irse a vivir a**...	• La pronunciación de dos vocales de palabras distintas en contacto.	• Jóvenes con vidas y carreras interesantes: Araceli Segarra, Laia Sanz, Albert Casals y Gustavo Dudamel. • El *Guernica* y Picasso. • Grandes obras arquitectónicas: el acueducto de Segovia, la mezquita de Córdoba, el canal de Panamá y la Capilla del Hombre, en Ecuador. • El músico colombiano Juanes. • El médico español Santiago Ramón y Cajal.
• Marcadores espaciales: **encima de, debajo de, delante de, detrás de, a la izquierda de**... • Los pronombres personales de complemento directo. • Cuantificadores + sustantivos: **demasiado/-a/-os/-as, mucho/-a/-os/-as, bastante/-es, poco/-a/-os/-as** • **Un/o, algún/o, ningún/o, una, alguna, ninguna**... • Diferencias entre **hay** y **está**. • Describir lugares con **tiene, es, hay** y **está**. • Usos de los artículos determinados e indeterminados. • **Lo que más / menos me gusta es / son / es que**...	• Las partes de una ciudad. • Los muebles y las habitaciones de una casa. • Léxico para describir pueblos, barrios y ciudades: **tranquilo/-a, bonito/-a, limpio/-a, sucio/-a, bien / mal comunicado/-a**...	• La pronunciación de los diptongos.	• Navaluenga: un pueblo en el centro de la Península Ibérica. • El barrio madrileño de La Latina. • Las tapas: una comida y una costumbre muy arraigadas en España. • Algunos músicos de *hip hop* hispanohablantes y una canción de El Chojin.

UNIDADES	PROYECTOS	VÍDEOS	COMPETENCIAS COMUNICATIVAS	ESTRATEGIAS
unidad 4 **OTROS TIEMPOS** PÁGINA 46	• Vamos a inventar y a describir una civilización del pasado.	• *Granada, otros tiempos.* Un poco de historia de Granada, ciudad donde vivieron los íberos, los romanos, los visigodos, los árabes, los judíos, los cristianos...	• Leer información histórica y sobre una civilización imaginaria. • Escuchar los relatos de infancia de varias personas. • Escribir sobre las diferencias entre la vida antes y ahora. • Contar la infancia de una persona mayor y describir los cambios de alguien de nuestro entorno. • Comentar cómo han cambiado dos chicas (desde su infancia hasta su adolescencia) y explicar cómo era la escuela en una civilización imaginaria.	• Buscar en el diccionario las palabras que queremos usar y necesitamos en cada caso. • Tomar conciencia de que es mejor aprender lenguas diciendo cosas que son de nuestro propio interés.
unidad 5 **¡EN FORMA!** PÁGINA 58	• Vamos a diseñar una campaña de salud para nuestro colegio.	• *Deportes de aventura.* Un grupo de chicos y chicas dispuestos a pasarlo genial visita un centro de deportes de aventura en el Pirineo.	• Leer entrevistas a deportistas, recomendaciones sobre la salud y un artículo sobre bailes españoles y latinos y responder a un test. • Escuchar una conversación sobre un deporte y realizar unas instrucciones para relajarnos. • Escribir sobre los deportes que practicamos. • Presentar una campaña para estar sanos. • Hablar de deportes, bailes y otras actividades físicas y pedir y dar consejos para mejorar nuestros hábitos.	• Observar los nuevos tiempos verbales en su contexto y fijarse en su uso antes de aprender a formarlos. • Usar conectores y pronombres al escribir para conseguir textos fluidos y poco repetitivos.
unidad 6 **¡HOY ES FIESTA!** PÁGINA 70	• Vamos a organizar una fiesta de fin de curso.	• *Pinchos para una fiesta.* Distintas formas sanas y variadas de preparar pinchos. Podéis hacerlos, ¡vais a sorprender a todo el mundo!	• Leer carteles de actividades de ocio, mensajes para hacer planes, artículos sobre comida y la carta y el menú de un restaurante. • Escuchar una conversación sobre planes para un fin de semana y distintas conversaciones en bares y restaurantes. • Escribir mensajes para proponer planes y el menú de un bar. • Hablar de cosas que se comen en nuestro país y explicar cómo es nuestro desayuno. • Acordar un plan para el fin de semana con un compañero.	• Recordar cuál es el objetivo que tenemos (qué queremos averiguar) antes de escuchar una información o una conversación. • Buscar en el diccionario y aprender cómo se llama la comida que nos gusta y la que no podemos tomar.

GRAMÁTICA Y COMUNICACIÓN PÁGINA 83

MI VOCABULARIO PÁGINA 101

PAÍSES DE HABLA HISPANA PÁGINA 123

GRAMÁTICA	LÉXICO	FONÉTICA	CULTURA Y CIVILIZACIÓN
• **Ser** y **estar** con adjetivos. • La forma y algunos usos del pretérito imperfecto. • Comparar el pasado con el presente. • Conectores para relacionar información: **además, en cambio, como, por eso**... • Conectores y marcadores para hablar del pasado y para relacionar información en el tiempo: **cuando, ya no, entonces, de vez en cuando, en aquella época**...	• Léxico para describir materiales: **de madera, de plástico, de cristal**... • Hablar de cambios en las personas: **está más guapo/-a, le ha crecido el pelo, es más alto/-a**...	• Cómo suenan las letras **b, d** y **g** en distintas posiciones en las palabras.	• La historia de dos ciudades: de Tenochtitlán a México D. F., y Granada en distintas épocas. • La infancia de algunos abuelos en España. • Algunos pueblos antiguos: los íberos, los mayas y los incas. Quiénes eran, dónde vivían, cómo eran sus casas... • José Agustín Goytisolo: el poema de *El lobito bueno*.
• El verbo **doler**. • **Ya no / todavía**. • Expresar estados físicos y emocionales: **estar bien / mal / de pie / sentado**... • Recomendar y desaconsejar: **tener que, hay que**. • Hablar de relaciones temporales: **desde, hace, desde hace**. • El imperativo afirmativo.	• Léxico para hablar de las partes del cuerpo, la salud, los deportes y el movimiento.	• La pronunciación de las vocales.	• Los deportes más populares en el mundo hispanohablante. • Algunos de los estilos de música y baile más importantes de España y Latinoamérica: la salsa, el flamenco, el tango y el merengue.
• Los nombres contables y no contables. • La combinación del verbo **ir** con varias preposiciones. • El imperativo afirmativo con pronombres. • Proponer planes: **¿Quieres...?, ¿Te apuntas...?**... • Aceptar, rechazar planes y excusarse: **¡Vale!, lo siento, no puedo**... • Pedir y pagar en bares y restaurantes: **Yo, de primero quiero..., ¿Cuánto es?**...	• Léxico para hablar de comida y de actividades de ocio.	• La identificación y la pronunciación de sílabas tónicas.	• Actividades de ocio de los chicos y chicas españoles. • Cómo rechazar invitaciones y planes en el ámbito hispanohablante. • Los bocadillos en España. • Costumbres y tipos de comida en bares y restaurantes españoles. • Comidas típicas del mundo hispanohablante: empanadas, tapas, arepas, tamales, tortillas, pinchos...

• Resumen gramatical   • Recursos para la comunicación   • Tablas verbales

• Mi vocabulario esencial (por unidades)   • Mi vocabulario A-Z

¡ADIÓS AL VERANO!

NUESTRO PROYECTO: VAMOS A CREAR UN GRUPO EN UNA RED SOCIAL O EL BLOG DE NUESTRA CLASE.

VAMOS A...

leer sobre hechos pasados recientes, el blog de un grupo de teatro y una aventura en forma de cómic;

escuchar una entrevista con un joven actor aficionado, los diálogos de un cómic y a unos amigos hablando de la vuelta al colegio;

escribir una lista de buenos propósitos, una sección en un blog y hacer una ficha con información personal;

relatar y a valorar hechos pasados recientes y a hablar de deseos e intenciones;

hablar sobre cambios y sobre experiencias recientes e intercambiar información personal;

conocer a una banda municipal de música.

VAMOS A APRENDER O A REPASAR...

- formas de preguntar (**dónde**, **con quién**, **cuánto tiempo**, **qué**, **cómo**, **cuál**...);
- **el mismo/-a/-os/-as**; **otro/-a/-os/-as**;
- el presente de indicativo: usos y algunos irregulares;
- el pretérito perfecto: formación y usos;
- **ir a** + infinitivo: usos;
- **estar** + gerundio: formación y usos;
- **querer / tener ganas de** + infinitivo;
- léxico para relatar y para hablar de las vacaciones;
- la entonación en las preguntas.

facebook

María Elena Ramírez

Mis vacaciones

1

¡Ya estamos en Caracas! Desde mi ventana...

6

Mi primer desayuno: pabellón criollo. ¡Mmmh!

Biografía | Amigos | **Fotos** | Más

Agregar fotos   **Agregar video**

En Los Roques, bañándonos y tomando el sol con nuestros primos.

Típico puesto de zumos de frutas tropicales.

Jugando al voleibol en el hotel de Los Roques.

Mi tío Sixto y mi tía Dayon en el desierto (Medanos del Coro)

En la selva: ¡hemos visto muchos reptiles!

Dos semanas en Venezuela

Este verano María Elena ha estado en Venezuela. ¿Qué ha hecho? ¿A qué fotos corresponden estas informaciones?

Ha estado con sus familiares.

Ha visto animales.

Ha hecho deporte.

Ha descansado.

Ha probado la comida tradicional de Venezuela.

Ha estado en una gran ciudad.

1. ¿Qué has hecho este verano? ▸ CE: 1 (p. 5), 2 (p. 6), 4 (p. 7), 1 (p. 12)

APRENDER A APRENDER
Para entender mejor un texto, antes de leer intenta activar las **palabras que ya conoces** sobre el tema.

A. Este verano Martín ha ido dos semanas a un campamento. Con un compañero, escribe una lista de cosas que se pueden hacer en un campamento.

Dormir en una tienda de campaña.

B. Martín ha escrito un diario. Léelo y luego escoge las dos informaciones que son correctas. Justifica tus respuestas.

2 de julio
Ya estamos en el campamento. El viaje hasta Nigrán (Galicia) ha sido largo: ¡cinco horas y media de autocar! Pero lo he pasado muy bien charlando y jugando con César y con Ángel. Ya hemos montado las tiendas y hemos cenado. Ya son las 12, pero todavía no estamos durmiendo... ¡Jejejeje!

7 de julio
Estos días no hemos parado. La verdad es que lo estoy pasando fenomenal. Hemos hecho muchas excursiones, nos hemos bañado en un río, y nos han dicho que vamos a construir cabañas. Hoy han empezado las clases de inglés. El profe, Peter, es irlandés y es supermajo. Estamos aprendiendo mucho.

9 de julio
¡Ya ha pasado una semana! ¡No me lo puedo creer! He conocido a un chico de Ávila, Diego, que también hace teatro como yo. Me va a mandar un vídeo de su última obra. Las clases de inglés, ¡very very good!

11 de julio
¡Qué día! Hoy nos han enseñado a construir cabañas. Bueno, nuestro grupo todavía no ha terminado la nuestra pero el instructor nos va a ayudar esta tarde.

13 de julio
No tengo ganas de volver a casa ☹ ☹. Lo único que echo en falta es la comida de mi madre y la ducha caliente... ¡Y levantarme más tarde de las siete!

17 de julio
Hoy es el último día. ¡Adiós, Nigrán; adiós, amigos! ¡Bye bye, Peter! ¡¡¡No me quiero ir!!! ☹

Nuestra cabaña

Martín...
1. se ha aburrido en el autocar.
2. ha estudiado una lengua extranjera en el campamento.
3. ha hecho un curso de teatro.
4. ha echado mucho de menos a su familia.
5. se ha duchado con agua fría.

Con ...... habla de algo futuro.
Con ...... habla de algo que pasa durante el tiempo en el que escribe el diario.
Con ...... habla de algo pasado.

C. Completa esta tabla con verbos del diario de Martín. Luego, di para qué usa estos tiempos o perífrasis verbales.

ir a + infinitivo	pretérito perfecto	estar + gerundio
vamos a construir	ha sido	(lo) estoy pasando

D. Y tú, ¿qué has hecho este verano? Habla con un compañero y escribe tres cosas que él o ella ha hecho.

● ¿Qué has hecho este verano?
○ Pues he ido a casa de mis abuelos, en la costa...

LAS VACACIONES ▸ CE: 2 (p. 14)

Este verano...
(no) lo he pasado muy bien.
me he divertido mucho.
he salido con mis amigos.

Este fin de semana...
no he hecho nada especial.
me he aburrido un poco.

Este año...
he pasado un mes **en** España.
he estado en Tenerife.
he ido de viaje. / he hecho un viaje.

PREGUNTAR POR LAS VACACIONES

¿Dónde has estado?
¿Con quién has ido?
¿Cuánto tiempo has estado?
¿Qué (actividades) has hecho?
¿Cómo ha sido / lo has pasado?
¿Te ha gustado?

2. El blog de Lalatina ▶ CE: 5 (p. 8), 3 (p. 13)

 A. Mira y lee este blog. ¿Qué puedes decir de Lalatina?

 B. Escucha la entrevista que les han hecho a Martín y a Adriana en la radio. Luego, completa la ficha personal de Martín.

Pista 01

 C. Vuelve a escuchar la entrevista y anota qué preguntas le hace el locutor a Martín.

Pista 01

 D. Ahora entrevista a un compañero. Hazle preguntas y escribe sus respuestas.

RSS

LALATINA TEATRO JUVENIL

¿QUIÉNES SOMOS?　HISTORIA DEL GRUPO　OBRAS DE TEATRO　AGENDA

SERGIO　AINHOA　MARTÍN　DAVID
ADRIANA　VERO　ALICIA

HISTORIA DEL GRUPO

Somos estudiantes del IES Beatriz Galindo del barrio de La Latina (Madrid). Hemos empezado a hacer teatro hace poco, pero nos encanta y queremos seguir. Este año hemos ganado el premio del Festival de Teatro Juvenil de Mérida con la obra **El retablo de las maravillas** de Miguel de Cervantes, y ahora estamos preparando una obra musical que es una adaptación de **Cats**. Es difícil, pero tenemos muchas ganas de aprender.

FICHA PERSONAL

Me llamo...
Tengo... años.
Vivo en...
Lo que más me gusta es...
Lo que menos me gusta es...
Actualmente...
Mis sueños...

ESTAR + GERUNDIO ▶ CE: 6 (p. 8), 2 (p. 15)

yo	estoy	
tú	estás	estudi**ando**
él / ella	está	com**iendo**
nosotros/-as	estamos	escrib**iendo**
vosotros/-as	estáis	
ellos / ellas	están	

Formar el gerundio:

-ar → -ando: *prepar**ando**, estudi**ando**, mir**ando***
-er / -ir → -iendo: *beb**iendo**, sal**iendo**, com**iendo***

PEDIR INFORMACIÓN PERSONAL

¿Cómo te llamas?
¿Cuántos años tienes?
¿Dónde vives?
¿Qué es lo que más / menos te gusta?
¿Cuál es tu ... favorito/-a?
¿Qué estás haciendo actualmente?
¿Cuáles son tus proyectos / sueños?

MINIPROYECTO

Cada alumno debe realizar una ficha como la de Martín con la información que le ha dado su compañero. Este tiene qué comprobar que todo lo que se escribe sobre él o ella es correcto. Colgamos todas las fichas en la clase o en nuestro blog.

3. Los vecinos del número 13 ▶ CE: 7, 8 y 9 (p. 9), 10 (p. 10)

¿OS ACORDÁIS DE KIKE Y DE SUS AMIGOS? VIVEN EN LA MISMA CALLE, VAN AL MISMO COLE Y FORMAN UN GRUPO MUSICAL. TOCAN HIP-HOP Y ENSAYAN Y SE REÚNEN EN EL GARAJE DE KIKE. HOY ES 12 DE SEPTIEMBRE. SE TERMINAN LAS VACACIONES DE VERANO. KIKE Y SUS COMPAÑEROS SE ESTÁN PREPARANDO PARA EMPEZAR EL CURSO EL PRÓXIMO LUNES. HAN TENIDO CASI TRES MESES DE VACACIONES. ALGUNOS HAN VIAJADO Y OTROS SE HAN QUEDADO EN CASA. PERO TODOS LO HAN PASADO MUY BIEN.

AL DÍA SIGUIENTE
HOLA. ME LLAMO ÁRTEMIS. VIVIMOS EN LA MISMA CALLE, ¿VERDAD?

BUENO, SÍ, VARIOS DE LA CLASE SOMOS VECINOS. YO ME LLAMO MIGUEL.

MÁS TARDE
¿POR QUÉ NO VENÍS A MERENDAR A MI CASA?

SÍ CLARO, VAMOS. YO VOY A LLAMAR A MIS PADRES.

NOOOO, POR FAVOR. ¡QUÉ MIEDO! NOS VAN A ENVENENAR...

PAPÁ, ESTOS SON MIS COMPAÑEROS DE CLASE.

¿MAMÁ, PODEMOS MERENDAR?

¿SABÉIS? MI MADRE ES ESCULTORA Y MI PADRE VIOLINISTA.

¿VES MIGUEL? TIENES DEMASIADA IMAGINACIÓN...

mudanza: cambio de casa

ser cotilla: querer saberlo todo de la vida de los demás

cadáver: cuerpo de una persona o animal muerto

envenenar: matar o enfermar a alguien con alguna sustancia

¿SABES QUE...?

En el **hemisferio sur**, en países como Argentina, Chile o Uruguay, el **curso** empieza en febrero o marzo y termina en diciembre. Las **vacaciones de verano** son en enero y febrero.

Pista 02

A. Lee y escucha la historieta de *La Peña del garaje*. Luego, completa estas frases con un compañero. Hay varias posibilidades.

1. La Peña del garaje es un grupo de amigos que ....
2. Las clases empiezan ....
3. Hugo no tiene ganas de ...... porque ....
4. Tienen una compañera nueva que vive ...... y se llama ....
5. Los chicos creen que ....
6. Ártemis invita a los chicos ....
7. Allí descubren la verdad: la madre de Ártemis es ...... y el padre es ....

B. ¿Qué ha cambiado para vosotros del año pasado a este? En grupos de tres, completad la tabla. Luego, comentadlo en la clase.

Este año tenemos...

el mismo profesor de lengua

dos compañeros nuevos

EL MISMO / OTRO ▶ CE: 3 (p. 6)

Estamos en | **el mismo** edificio.
　　　　　 | **la misma** clase.
Tenemos | **los mismos** profesores.
　　　　 | **las mismas** asignaturas.

Estamos en | **otro** colegio.
　　　　　 | **otra** clase.
Tenemos | **otros** libros.
　　　　 | **otras** actividades extraescolares.

Nunca decimos:
~~un otro / una otra / unos otros / unas otras~~

EXPRESAR INTENCIONES
▶ CE: 2 (p. 13), 1 (p. 15)

Tener ganas de + infinitivo:

Yo **tengo ganas de** aprender a escribir mejor.
No **tenemos ganas de** suspender ninguna asignatura.

Querer + infinitivo:

Nosotros **queremos** escuchar canciones en español.
Quiero estar más atento en clase.

MINIPROYECTO

Cada uno escribe dos buenas intenciones para este curso. En grupos, las leéis todas y escogéis cinco. Luego, entre toda la clase, escogéis diez. Podéis escribirlas en una cartulina y colgarla en el aula. Dentro de unos meses podéis revisar si las estáis cumpliendo.

EL PRESENTE DE INDICATIVO. ALGUNOS VERBOS IRREGULARES

	TENER (E>IE)	DECIR (E>I)	VENIR (E>IE)	DAR	SABER
yo	tengo	digo	vengo	doy	sé
tú	tienes	dices	vienes	das	sabes
él / ella	tiene	dice	viene	da	sabe
nosotros/-as	tenemos	decimos	venimos	damos	sabemos
vosotros/-as	tenéis	decís	venís	dais	sabéis
ellos / ellas	tienen	dicen	vienen	dan	saben

1. Asocia estas formas del presente con las diferentes personas. Hay varias posibilidades.

mi hermana y yo   ellas   usted   él   vosotros   yo   tú y Susana   Andrés y Tania

a. Vienen esta tarde.

b. Tenemos ganas de empezar.

c. ¿Veis la televisión todos los días?

d. ¿Puedo hablar con mi hermano?

e. No tienen animales en casa.

f. ¿Queréis cenar en mi casa?

g. ¿Quiere aprender a bailar tango?

h. Dice que no habla español.

USOS DEL PRESENTE

Acciones o estados que no cambian	El mar Mediterráneo **está** en el sur de Europa.
Cosas habituales	Mis padres y yo **nos levantamos** a las siete.
Instrucciones	Primero **termináis** la actividad y luego **podéis** ir al patio.
Invitaciones, peticiones	¿**Vienes** con nosotros al cine? ¿Me **ayudas** a hacer los deberes?

USOS DE ESTAR + GERUNDIO

Acciones o estados temporales	Estos días Berta **está estudiando** mucho porque tiene un examen.
Cosas que suceden mientras las contamos	Luego voy a tu casa; ahora **estoy comiendo**.

En gerundio, los verbos con pronombre tienen dos formas posibles:
Me estoy duchando. = Estoy duchándo**me**.

2. Elige la forma más adecuada.

a. ● ¿Dónde está Javi?
○ Se baña / Está bañándose en la piscina.

b. ● ¿De dónde es Julián?
○ Es de Bilbao pero ahora pasa / está pasando unos meses en Madrid.

c. ● ¿Estás hablando / Hablas inglés?
○ Sí, bastante bien. He vivido en Irlanda.

d. Normalmente compro / estoy comprando ropa por internet.

e. ● ¿Qué haces? ¿Vienes a dar una vuelta?
○ Ahora no puedo; estudio / estoy estudiando.

EL PRETÉRITO PERFECTO. FORMACIÓN Y USOS

Verbo **haber** + participio

Verbos en **-ar** → **-ado**: *estudiado*
Verbos en **-er** / **-ir** → **-ido**: *tenido / salido*

Algunos irregulares:

hacer → **hecho**   ver → **visto**   volver → **vuelto**
poner → **puesto**   ser → **sido**   decir → **dicho**

En español hay varios tiempos que sirven para referirnos al pasado. De momento conocemos el pretérito perfecto, que se usa así:

Para referirnos a una acción pasada en relación con el presente.	¿**Ha terminado** de llover?
Con marcadores temporales como: hoy esta mañana / tarde / noche / ... este mes / verano / año / ...	**Hoy** he terminado de escribir un cuento.
Para referirnos a una acción pasada sin señalar cuándo ha sucedido.	● ¿**Has leído** Harry Potter? ○ Sí, claro que lo **he leído**.

3. Escribe cinco cosas que has hecho esta semana.

He jugado con el ordenador.

4. Escribe cinco cosas que no has hecho nunca.

Nunca he ido a China.

LAS VACACIONES DE LAURA Y DE MIGUEL

Este verano, Laura...

ciudad de PAMPLONA

estar en

pasar por

Ha estado en Navarra.

Ha pasado por Pamplona.

1. Describe las vacaciones de Miguel. ¿Qué ha hecho? ¿Lo ha pasado bien?

BENIDORM

....

hacer una excursión / un viaje

hacer buen / mal tiempo

Ha hecho excursiones por la sierra de Aralar y ha hecho muy buen tiempo.

VALENCIA

Parque de atracciones

pasar ... días / semanas en

(no) pasarlo bien

Ha pasado cinco **días en** un pequeño pueblo, Lizaso.

Lo ha pasado muy **bien**.

....

....

LA MELODÍA DEL ESPAÑOL

Pista 03

1. En español, muchas veces la única diferencia entre una afirmación y una pregunta es la entonación. Escucha las frases y di si son preguntas o afirmaciones. Si quieres, intenta dibujarlas.

1. ... 3. ... 5. ... 7. ... 9. ...
2. ... 4. ... 6. ... 8. ... 10. ...

Pista 04

2. Escucha estas preguntas y mira los esquemas. Repítelas en voz alta.

1. ¿Mañana es fiesta?

respuesta: sí o no

2. ¿Qué día es mañana?

respuesta abierta

3. Mañana es fiesta, ¿verdad?

respuesta sí o no con confirmación

Pista 05

3. Ahora escucha estas preguntas y di si tienen un esquema como las frases 1, 2 o 3 de la actividad anterior. Luego, repítelas en voz alta imitando la entonación.

1. ¿Tienes hermanos?
2. ¿Cuándo empiezan las clases?
3. Alberto es muy guapo, ¿no crees?
4. ¿Vas a venir a la excursión?

APRENDER A APRENDER
La entonación es muy importante para expresarte bien. **Intenta imitar las "melodías"** que escuchas cuando hablan los hispanohablantes.

Escuelas solidarias

Cada vez son más las escuelas que participan en experiencias de cooperación y solidaridad con otras escuelas que necesitan ayuda. Generalmente, los proyectos de solidaridad tienen dos partes: una parte material, en la que se apoya con dinero y material escolar (libros, ordenadores, bicicletas...) y otra, humana y personal, con cartas, intercambios de fotos y, a veces, visitas.

Un buen ejemplo de este tipo de cooperación es el IES Marqués de Santillana de Torrelavega (España), que ha empezado un proyecto con la organización Manos Unidas con la escuela Santa Ana, de Tusi (Perú). Para recaudar dinero, el instituto español organiza cada año un mercadillo y un karaoke solidario durante los recreos del mes de febrero.

Mercadillo solidario del IES Marqués de Santillana.

Karaoke solidario del IES Marqués de Santillana.

Algunas veces la experienca solidaria se concreta en visitas, como es el caso de los chicos de la escuela Octavio Paz, de Barcelona (España), y los de la escuela Aneja a la escuela Normal Veracruzana de Xalapa, en México, donde los alumnos, junto con algunos profesores, se han visitado mutuamente en sus países.

Visita de las escuelas Octavio Paz y escuela Aneja a la escuela Normal Veracruzana de Xalapa.

IES Solidario es una asociación creada por alumnos del IES Torrellano de Alicante (España). Recaudan fondos para proyectos solidarios organizando mercadillos, exposiciones y conferencias, y además difunden información sobre los niños y escuelas que viven situaciones difíciles. Han viajado al Perú y a la India, donde han colaborado con la Fundación Vicente Ferrer.

Visita a un orfanato de la Fundación Vicente Ferrer en Anantapur (India).

Visita al proyecto de bicicletas de la Fundación Vicente Ferrer en la India.

❝ Mucha gente pequeña, en lugares pequeños, haciendo cosas pequeñas, puede cambiar el mundo ❞

Proverbio africano

CANCIÓN

Esta soy yo

Pista 06

Dicen que soy
un libro sin argumento,
que no sé si vengo o voy,
que me pierdo entre mis sueños.
Dicen que soy una foto en blanco y negro,
que tengo que dormir más,
que me puede mi mal genio.

Dicen que soy
una chica normal
con pequeñas manías que hacen
 desesperar.
Que no sé bien
dónde está el bien y el mal,
dónde está mi lugar.

Fragmento de la canción "Esta soy yo",
del álbum *El sueño de morfeo*, 2005

El sueño de Morfeo

El sueño de Morfeo es un grupo español de pop-rock muy popular formado por Raquel (cantante), Juan Luis y David (guitarristas). Desde el año de su formación (2002), el grupo ha publicado cinco discos y ha compuesto canciones para varios anuncios y series de televisión.

VÍDEO

Una banda de música en San Lorenzo de El Escorial

Hoy es un día especial en San Lorenzo de El Escorial. La banda de la Escuela Municipal de Música va a dar su concierto de fin de curso.

EL BLOG DE LA CLASE
VAMOS A HACER UN CONCURSO PARA CREAR EL BLOG DE NUESTRA CLASE.

Con ordenador
✓ un programa para hacer blogs (Blogger, WordPress, Tumblr...)
✓ ordenadores con conexión a internet
✓ fotografías (vuestras, del colegio...)

En papel
✓ cartulinas, rotuladores, tijeras y pegamento
✓ fotografías y dibujos

A. Formad grupos de cuatro o cinco para preparar un proyecto de blog de la clase. Tenéis que decidir lo siguiente:

> Un título, una imagen y, si queréis, un logotipo para la página principal.

> Una lista de lo que queréis incluir en el blog:
> • colegio
> • identidad de los alumnos de la clase
> • ciudad, pueblo o barrio
> • fotos y vídeos
> • proyectos (fiestas, viajes, obras de teatro...)
> • buenas intenciones o propósitos para este curso
> • ...

> Con qué frecuencia queréis escribir en el blog y quién va a hacerlo.

B. Explicad los proyectos a la clase y, entre todos, votad cuál os gusta más.

C. Cada uno de los grupos anteriores se va a ocupar de una sección del blog. Escribid los textos y buscad las imágenes necesarias (fotografías, dibujos...).

D. Uno de los grupos va a encargarse también de la parte técnica. Ya podéis poner los contenidos en el blog. Y ¡no olvidéis actualizarlo!

¡El blog de la clase más guay del instituto!

¿Quiénes somos? | **Nuestro colegio** | **Nuestro barrio** | **Actividades**

miércoles, 12 de junio de 2013

NOS PRESENTAMOS

¡Hola! Somos los alumnos de la clase de 2º B del IES Mercè Rodoreda. En la clase somos 28 alumnos, 11 chicos y 17 chicas. ¡Nos ganan por goleada! Vivimos en la ciudad de l'Hospitalet de Llobregat... y nos encanta. Tenemos gustos y aficiones distintos, pero nos llevamos bien.

Estos somos nosotros:

Noemí

Me llamo **Noemí Rodríguez**.
Tengo 13 años.
Lo que más me gusta:
    leer. ¡De todo!
Lo que menos me gusta:
    estudiar matemáticas
Actualmente...
    estoy escribiendo un cuento
Mi sueño es...
    escribir guiones de cómics
    o de películas

APRENDER A APRENDER
En vuestros proyectos, intentad **ser realistas**: no propongáis cosas que no podáis hacer vosotros mismos. Calculad si vais a tener tiempo y medios para realizar vuestras propuestas.

COMPRENSIÓN LECTORA

1. Lee este correo electrónico y di si la información de las frases es verdadera (V) o falsa (F). Justifica tu respuesta.

	V	F
a. El campamento está cerca del mar.		
b. En el campamento han jugado al fútbol.		
c. Los chicos han preparado una obra de teatro de un autor famoso.		
d. Álvaro forma parte de un grupo de teatro.		
e. A Álvaro le gusta mucho comer carne.		
f. En el campamento ha hecho un nuevo amigo.		
g. En el campamento han dormido hasta las ocho.		
h. No tiene ganas de ver a sus compañeros de clase.		

DE: <Alvarillo>
PARA: <Clara Lorda>
ASUNTO: Las vacaciones

Querida abuela:

¡Hace mucho que no nos vemos! Te cuento cómo han ido nuestras vacaciones. He ido con Pedro y Natalia a un campamento en la playa. Lo he pasado fenomenal: he hecho muchos amigos y he practicado deportes nuevos. En mi colegio solo juego al fútbol, pero aquí he aprendido a jugar al tenis. También hemos hecho un curso de windsurf en el mar. Ha sido difícil pero me ha gustado. Por las noches hemos preparado una obra de teatro que hemos escrito nosotros mismos. A mí no me gusta mucho ir al teatro, pero me ha encantado el curso y creo que voy a buscar un grupo de teatro juvenil el próximo año. Lo que no me ha gustado ha sido la comida: demasiada verdura y ¡ni una hamburguesa! También nos hemos levantado todos los días a las siete 🙁 y a mí en verano me gusta quedarme en la cama hasta tarde... En el campamento he conocido a Arturo, un chico nuevo que va a estar en mi clase, y nos hemos hecho muy amigos. Va a ser mi vecino y vamos a ir juntos en el autobús. Ya tengo ganas de empezar el curso y ver a todos mis amigos y poder jugar al fútbol otra vez.

¿Cómo estáis vosotros? Tenemos ganas de veros.

Hasta pronto. ¡Escríbeme!

Álvaro

COMPRENSIÓN ORAL

Pista 07

2. Escucha a Alicia y a Agustín hablando de su vuelta al colegio. Luego, escribe en la tabla quién ha hecho o está haciendo estas cosas.

	ALICIA	AGUSTÍN
a. Ha estado en el extranjero.		
b. Ha visitado a sus abuelos.		
c. Ha ido a la playa.		
d. Ha estado con su familia.		
e. Ha conocido a mucha gente.		
f. Está escribiendo en inglés.		
g. Está haciendo un curso de inglés.		
h. Está jugando al tenis.		

EXPRESIÓN ORAL

3. Vas a explicar cómo has pasado tus vacaciones, o una parte, a tus compañeros o a tu profesor. Puedes elegir algunas fotos u otros materiales (mapas, dibujos...) para ilustrar lo que cuentas.

INTERACCIÓN ORAL

4. ¿Cuáles son vuestras buenas intenciones particulares? Con un compañero, hablad sobre tres cosas que tenéis ganas de hacer este año relacionadas con la escuela o con otros aspectos de vuestra vida.

EXPRESIÓN ESCRITA

5. Haz una ficha con la siguiente información sobre ti.

Nombre y apellidos: ......

Edad: ......

Descripción (física y de carácter): ......

Familia: ......

Ciudad: ......

Gustos: ......

Tiempo libre: ......

Lugar de vacaciones: ......

Sueños o proyectos: ......

FOTO

2

¿QUIÉN Y CUÁNDO?

A LOS 18 AÑOS...

NUESTRO PROYECTO: VAMOS A ESCRIBIR Y A PRESENTAR LA BIOGRAFÍA DE UNA PERSONA.

VAMOS A...

📖 leer datos biográficos sobre distintos personajes, información sobre hechos históricos y sobre grandes obras arquitectónicas;

🎧 escuchar información sobre la vida de distintas personas y la biografía de un personaje histórico;

✏️ escribir dos biografías y lo que ocurrió en algunos momentos importantes para nosotros o para el mundo;

💬 contar nuestra vida, la vida de alguien de nuestra familia y hablar de la biografía de un personaje famoso;

🔄 conversar sobre una obra de arte y adivinar la identidad de algunos personajes;

🎥 ver una animación que cuenta la vida de una persona extraordinaria.

VAMOS A APRENDER...

- el pretérito indefinido (regulares y algunos irregulares)
- a observar distintos usos del pretérito perfecto y del pretérito indefinido
- a utilizar referencias temporales para situar hechos pasados: **a los trece años**, **en 1990**, **el día 1 de julio**, **hasta que terminó**...
- los ordinales: **el primer/-o**, **la primera**...
- léxico para hablar de profesiones
- la pronunciación de dos vocales de palabras distintas en contacto.

El Everest: ¡8848 m!

EN 1996...

EN 2008...

A LOS 39 AÑOS...

TINA EN EL EVEREST
El techo del mundo

Textos e ilustraciones:
ARACELI SEGARRA

TINA EN LA ANTÁRTIDA
El continente blanco

Textos e ilustraciones:
ARACELI SEGARRA

Editorial Alpina

TINA EN EL ACONCAGUA
El centinela de piedra

Textos e ilustraciones:
ARACELI SEGARRA

Editorial Alpina

EN 2009...

EN 2010...

Montañas, expediciones, cuentos y camisetas

¿Cuándo hizo estas cosas Araceli Segarra?
Termina las frases que acompañan las fotos.

... empezó a practicar la escalada y el montañismo.

... fue la primera mujer española que subió al Everest, la montaña más alta del mundo.

... participó en una expedición con kayaks a Alaska.

... escribió una serie de cuentos infantiles, con dibujos hechos por ella misma, sobre temas de montaña.

... subió al Kilimanjaro, la montaña más alta de África.

... inauguró una tienda virtual de camisetas con sus propios diseños.

1. Biografías ▶ CE: 1 y 2 (p. 17), 11 y 12 (p. 23), 1 (p. 24), 3 (p. 25)

A. Lee estos datos biográficos. ¿Cuál de estos personajes te parece más interesante? ¿Por qué? Coméntalo con un compañero.

A mí Albert Casals, porque ha viajado...

"Todas las personas tienen algo bueno. Por eso no hay que tener miedo."

Laia Sanz

"Quien tiene la voluntad tiene la fuerza."

1. Es motorista. Nació en Corbera del Llobregat (Barcelona, España) en 1985.
2. A los 2 años aprendió a ir en bicicleta y a los 4 años empezó a montar en la moto de su hermano.
3. A los 12 años ganó su primera carrera en un campeonato masculino y también la primera edición del Trial Europeo Femenino.
4. En el año 2000 ganó el Campeonato Español Cadete, donde fue la única piloto mujer. Ese mismo año, a los 15 años, fue campeona del mundo de trial femenino.
5. Participó y ganó tres años consecutivos en el Rally Dakar, en la categoría femenina de motos.
6. Es doce veces campeona del mundo y diez veces campeona de Europa de trial, cinco veces ganadora del Trial de las Naciones, tres veces ganadora del Rally Dakar y una vez del Mundial de Enduro.

Albert Casals

1. Es viajero y escritor. Nació en Barcelona (España) en 1990.
2. Desde los 5 hasta los 9 años tuvo leucemia y estuvo entrando y saliendo del hospital.
3. A los 8 años perdió la movilidad de las piernas a causa de su enfermedad. A los 9 años se curó de la leucemia, pero no recuperó la movilidad: desde entonces, usa silla de ruedas.
4. A los 14 años empezó a viajar por Europa y a los 15, por Asia. Viajó solo, sin equipaje y sin dinero. Desde entonces hasta 2012, esta fue su forma de viajar por todo el mundo.
5. En 2009 escribió el libro *El mundo sobre ruedas* y en 2012, el libro *Sin fronteras*.
6. En 2012 viajó, acompañado de su novia Anna, a Nueva Zelanda. En ese viaje se filmó el documental *Món petit* (Mundo pequeño), que ha recibido numerosos premios.
7. Cuando no viaja, estudia Filosofía, colabora en foros de ayuda a las personas discapacitadas y a veces aparece en la televisión.

PROFESIONES ▶ CE: 3 (p. 18)

O/A
viajer**o**/-**a**
polític**o**/-**a**

+A
pint**or**/-**a**
científic**o**/-**a**
direct**or**/-**a** (de orquesta...)
escrit**or**/-**a**

FORMA ÚNICA
deportista
cantante
atleta

FORMAS ESPECIALES
act**or** / act**riz**

EDAD Y SUCESOS

A los 8 años *le regalaron un violín.*
Desde los 6 hasta los 9 años *fue a la escuela en Barquismeto.*

EMPEZAR / APRENDER

A los 4 años **empezó** *la escuela.*
En 2003 **empezó a** *viajar.*

De pequeño **aprendió** *solfeo.*
A los 2 años y medio **aprendió a** *hablar.*

Gustavo Dudamel

1. Es director de orquesta. Nació en Barquismeto (Venezuela) en 1981.

2. De niño empezó a estudiar violín en el Sistema de Orquestas Juveniles e Infantiles de Venezuela.

3. A los 14 años empezó los estudios de director de orquesta y poco tiempo después dirigió la Orquesta de Cámara Amadeus.

4. A los 18 años fue nombrado director de la Orquesta Sinfónica Simón Bolívar y de la Orquesta Sinfónica Nacional de la Juventud de Venezuela.

5. En 2008, la Orquesta Juvenil Simón Bolívar fue premiada con el premio Príncipe de Asturias de las Artes. También recibió el Premio Q de la Universidad de Harvard por su extraordinaria labor humanitaria.

6. En 2012 ganó el premio Grammy a la mejor interpretación orquestal y tiene numerosos premios y reconocimientos internacionales.

7. Ahora es director de la Orquesta Filarmónica de Los Ángeles (EE. UU.) y dirige muchos proyectos para llevar la música a los niños de comunidades marginadas de distintos lugares.

"La música no se ve. Simplemente se siente. Es vibración, es energía, y eso es lo mágico."

B. ¿A qué personaje se refieren estas informaciones? Ojo, solo hay tres correctas.

1. Nació en Barcelona y ha viajado por muchos países. Toca un instrumento y ahora vive en Venezuela.

2. Ha ganado muchos campeonatos en su deporte y va en silla de ruedas.

3. Ha sido director de orquesta desde muy joven y ha creado un proyecto musical para apoyar a los niños con problemas.

4. Es española y es la primera mujer que ha ganado una carrera de motos en el Rally Dakar.

5. Ha ganado más de 10 campeonatos del mundo y 10 campeonatos de Europa en su deporte.

6. Ha viajado por todo el mundo, ha escrito dos libros y es el protagonista de un documental.

C. En los textos aparece un tiempo nuevo del pasado: el pretérito indefinido. Busca los verbos en este tiempo y completa la tabla.

REGULARES	IRREGULARES
empezó → empezar	estuvo → estar

D. Escucha a dos personas hablando de estos personajes. ¿De quiénes hablan? ¿Cómo son?

Pistas 08-09

E. Lee las citas. ¿Estás de acuerdo? ¿Por qué? Arguméntalo.

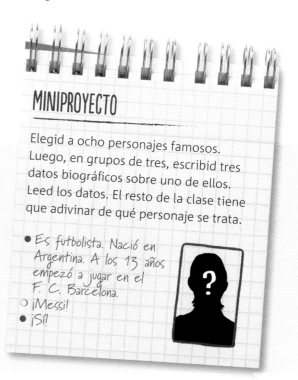

MINIPROYECTO

Elegid a ocho personajes famosos. Luego, en grupos de tres, escribid tres datos biográficos sobre uno de ellos. Leed los datos. El resto de la clase tiene que adivinar de qué personaje se trata.

- Es futbolista. Nació en Argentina. A los 13 años empezó a jugar en el F. C. Barcelona.
○ ¡Messi!
- ¡Sí!

EL PRETÉRITO INDEFINIDO

	GANAR (-ar)	NACER (-er)	VIVIR (-ir)
yo	gané	nací	viví
él / ella	ganó	nació	vivió

IRREGULARES IMPORTANTES

	ESTAR	SER / IR	HACER
yo	estuve	fui	hice
él / ella	estuvo	fue	hizo

2. Picasso y el *Guernica* ▶ CE: 9 (p. 22)

A. Observa con un compañero esta imagen del *Guernica* y haced una lista de todos los objetos, personas y animales que veis. Podéis consultar el diccionario.

 B. ¿Qué sentimientos os produce esta pintura?

tristeza · amor · dolor · aventura · rabia · ...

 C. Lee la información sobre el *Guernica* y luego elige para el cuadro uno de estos títulos o inventa uno nuevo.

PRIMAVERA   INVIERNO   OSCURIDAD

NO A LA GUERRA   GRITO   ARMONÍA   *Paz y amor*

 D. Busca información sobre Picasso y escribe algunos datos sobre su vida siguiendo el modelo de los textos de la actividad 1.

EL *GUERNICA*

Entre 1936 y 1939, España, el país natal de Pablo Picasso, sufrió una terrible guerra civil en la que murió mucha gente. Guernica es una ciudad del País Vasco, en el norte de España. Durante la guerra, el día 26 de abril de 1937, la aviación nazi la bombardeó y murieron muchas personas inocentes. Pocas semanas después del bombardeo, el famoso pintor español Pablo Picasso pintó un cuadro sobre este hecho, el *Guernica*, que estuvo fuera de España, por voluntad del pintor, hasta el final de la dictadura de Franco. Hoy, este cuadro es su obra más conocida y un símbolo universal contra la guerra.

CONTAR HECHOS PASADOS

*En mi pueblo **hubo** un incendio en 2012.*

Empezó el día 12 de julio y **terminó** el 16. **Duró** cinco días.

Fue un incendio terrible. Los bomberos lucharon **hasta que** apagaron el fuego.

Un año **después**, reconstruyeron las casas.

SITUAR EN EL PASADO

● ¿Cuándo / **en qué año** se creó Facebook?
○ **En** 2004, creo.
  Desde entonces ha crecido sin parar.
  Hasta ahora es la red social con más usuarios.
  Ahora más de 1000 millones de personas lo usan.

● ¿Cuándo fue la Guerra Civil española?
○ **Entre** 1936 y 1939.
○ Empezó **el día 18 de** julio **de** 1936 y terminó **el 1 de** abril **de** 1939.

3. Momentos importantes ▸ CE: 1 (p. 27)

 A. Lee estas frases sobre Encina y relaciónalas con las fotos.

a. Con el bolso de su abuela, a los dos años.
b. A los cinco, el día de su primera comunión.
c. El día de su boda, con 33 años.
d. De joven, haciendo un curso de submarinismo.
e. A los 43 años, con sus dos hijas, vestidas de flamencas.

 B. Encina le enseña sus fotos a una amiga. Escúchalas. Aparte de estas cinco, ¿qué otras fotografías le ha enseñado?

Pista 10

 C. Trae fotos a clase de algunos momentos de tu vida. Explica de cuándo son, con quién estás, etc.

USOS DEL PRETÉRITO INDEFINIDO Y DEL PRETÉRITO PERFECTO ▸ CE: 7 (p. 20)

EL PRETÉRITO INDEFINIDO	EL PRETÉRITO PERFECTO
Se refiere a un periodo de tiempo pasado que no incluye el momento presente.	Se refiere a un periodo de tiempo pasado que incluye el momento presente.
Se combina con: **ayer, a los 5 años, en 2009**...	Se combina con: **hoy, esta semana, este año, hasta ahora**...*
Picasso **pintó** muchos cuadros durante su vida. Picasso **murió** en 1973.	Hasta ahora, Albert Casals **ha escrito** dos libros. Este año, Albert Casals **ha hecho** una película.

👁 *En las variantes de América Latina, estos marcadores se suelen combinar con el pretérito indefinido.

MINIPROYECTO

Escribe ahora algunos datos biográficos sobre ti. Puedes incluir dos informaciones falsas. Tu compañero tiene que adivinar qué cosas no son verdad.

EL PRETÉRITO INDEFINIDO ▶ CE: 5 (p. 20), 8 (p. 21)
REGULARES

	EMPEZAR	NACER	VIVIR
yo	empecé	nací	viví
tú	empezaste	naciste	viviste
él / ella	empezó	nació	vivió
nosotros/-as	empezamos	nacimos	vivimos
vosotros/-as	empezasteis	nacisteis	vivisteis
ellos / ellas	empezaron	nacieron	vivieron

Muchos irregulares comparten casi todas las terminaciones con los regulares, pero cambia la raíz y el lugar de la vocal tónica:

REGULARES: **CORRER**		IRREGULARES: **TENER**	
corr **í**		tuv **e** → TÓNICA EN LA RAÍZ	
corr **iste**		tuv **iste**	
corr **ió**	TÓNICA EN LA DESINENCIA	tuv **o** → TÓNICA EN LA RAÍZ	CAMBIA LA RAÍZ
corr **imos**		tuv **imos**	
corr **isteis**		tuv **isteis**	
corr **ieron**		tuv **ieron**	

IRREGULARES

	HACER	ESTAR	SER / IR
yo	hice	estuve	fui
tú	hiciste	estuviste	fuiste
él / ella	hizo	estuvo	fue
nosotros/-as	hicimos	estuvimos	fuimos
vosotros/-as	hicisteis	estuvisteis	fuisteis
ellos / ellas	hicieron	estuvieron	fueron

👁

hay → **hubo**
morir → **murió / murieron**

1. Completa las frases con el pretérito indefinido.

a. El fin de semana pasado no (*estudiar*) ...... nada, pero este fin de semana tengo que preparar un examen y hacer tres páginas de ejercicios.
b. Mis hermanas (*nacer*) ...... en Bélgica en 1997 y 1999, y yo (*nacer*) ...... en España en 2001.
c. Mi padre (*trabajar*) ...... el año pasado en Estados Unidos.
d. El verano pasado mis amigas Lucía y Alba y yo (*ir*) ...... muchos días a patinar.
e. En Navidades mis hermanos y yo (*hacer*) ...... un curso de snowboard en los Pirineos. (*ser*) ... muy divertido. Lo (*pasar*) ...... superbién.

MARCADORES TEMPORALES

FECHAS
En julio / verano / 2010 / ...
El domingo **pasado** / *el mes* **pasado** / *el año* **pasado**
La semana **pasada**
El dos **de** julio **de** 2008
Ayer / **anteayer**

PERIODOS
De 2007 **a** 2011 estudié Primaria.
(**Desde** mi nacimiento) **hasta** 2007 viví en Madrid.
Durante tres años jugué al fútbol con el equipo de mi barrio.

EDAD
A los seis años empezó a tocar el violín.
De niño, empezó a tocar el violín.
Aprendió a escribir **de mayor**.

2. Contesta a las preguntas con las referencias temporales.

a. ¿Qué día naciste?
b. ¿Qué día nació tu madre?
c. ¿En qué año empezaste a ir al colegio?
d. ¿Cuándo hiciste tu último examen?
e. ¿Has vivido siempre aquí?
f. ¿Cuándo empezaste a practicar el deporte que ahora haces?
g. ¿Cuándo viste o has visto a tu mejor amigo por última vez?
h. ¿Cuándo estudiaste primaria?
i. ¿Cuánto tiempo has estudiado español? ¿Desde cuándo?

ORDINALES

el **primer/-o** / la **primera**
el **segundo** / la **segunda**
el **tercer/-o** / la **tercera**
el **cuarto** / la **cuarta**
el **quinto** / la **quinta**

el **sexto** / la **sexta**
el **séptimo** / la **séptima**
el **octavo** / la **octava**
el **noveno** / la **novena**
el **décimo** / la **décima**

👁 primer / primer**o**; tercer / tercer**o**

*Antonio fue el **tercer** amigo que tuve en el colegio.*
*Yo estoy en el **primer** curso de guitarra y mi hermana, en el **tercero**.*

3. Escribe la palabra correcta: ¿**tercer**, **tercero** o **tercera**?

a. Es el ...... año que vamos a Torremolinos.
b. El primer día no tuvimos clase de Lengua, el segundo tampoco y el ...... por fin, conocimos al profesor.
c. Silvia es la ...... de la lista, se llama Aranguren. Y Sergio es el último, se llama Zúñiga.

UNA CARRERA DE DEPORTISTA

1. Cristina cuenta la vida de su bisabuela. Completa su relato con las expresiones adecuadas, conjugando los verbos.

empezar a	irse a vivir a	ser	ganar	dejar	hacer	morir	nacer en

Mi bisabuela ...... Ciudad de México en 1916.

A los 6 años ...... hacer gimnasia.

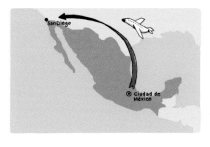

En 1930 ...... Estados Unidos con sus padres y sus hermanos.

...... una gran gimnasta y ...... algunos títulos.

A los 38 años ...... la gimnasia profesional.

Siempre ...... deporte para estar en forma y ...... a los 100 años.

CUANDO SE JUNTAN LAS VOCALES

Pista 11

1. Escucha estas frases. ¿Qué observas respecto a las vocales coloreadas?

    a. ¿Qué es eso?
    b. Tengo otro boli.
    c. Ha ido Óscar.
    d. Esta es mi hija.
    e. Va a la habitación.
    f. ¿Me haces un bocata de atún?

Pista 11

2. Vuelve a escuchar las frases. ¿Puedes unir las vocales que se pronuncian en la misma sílaba?

    a. ¿Qué es eso?
    b. Tengo otro boli.
    c. Ha ido Óscar.
    d. Esta es mi hija.
    e. Va a la habitación.
    f. ¿Me haces un bocata de atún?

QUÉES

3. Ahora, con un compañero pronuncia las frases siguientes. Después, intenta unir las vocales como en el ejercicio 2 y pronúncialas de nuevo.

A Ana la he visto hoy.
Mira el cielo. ¡Qué azul!
A Eduardo Olmo le encanta hablar.

> En español, si dos vocales se encuentran suelen pronunciarse unidas, en la misma sílaba, aunque pertenezcan a palabras distintas.

Grandes obras

► CE: 2 (p. 25)

El acueducto de Segovia (España)

Los romanos dejaron en España muchas obras arquitectónicas importantes: vías y calzadas, teatros, puentes, termas y acueductos. El acueducto de Segovia está en la ciudad que lleva este nombre, en el centro de España. Tiene 15 km de largo. Es la obra de ingeniería civil más importante de todas las que hicieron los romanos.

La mezquita de Córdoba (España)

Fue un templo religioso islámico. La construyeron los árabes en la ciudad de Córdoba (España) en el año 786 d. C. Fue mezquita durante más de 400 años y luego se convirtió en catedral cristiana. Hasta el siglo XVI fue la segunda mezquita más grande del mundo. Actualmente es uno de los monumentos más visitados de España.

El canal de Panamá

Es una vía de navegación de 78 km de largo que conecta dos océanos: el Atlántico (a través del Mar Caribe) y el Pacífico. Está en Panamá, y se construyó en la parte más estrecha de todo el continente americano. Fue inaugurado en 1912 y representó un gran avance en el trasporte entre la China, la Costa Este de Estados Unidos y Europa.

La Capilla del hombre (Ecuador)

Es un museo de arte que se construyó por iniciativa del pintor ecuatoriano Oswaldo Guayasamín en homenaje al ser humano. Además de las obras del pintor, contiene obras de todas las épocas donadas por él. Este museo está dedicado a todo el pueblo de América Latina. Empezó a construirse en 1995 y se terminó en 2002, después de la muerte del artista. Se encuentra junto a la casa donde el pintor vivió sus últimos años. La UNESCO la declaró «proyecto prioritario para la cultura».

Una vida para contarla

Desde su infancia en México hasta ser una abuela feliz en Alemania, la vida de Rossana ha sido una vida extraordinaria.

CANCIÓN

Pista 12

La historia de Juan

Esta es la historia de Juan,
el niño que nadie amó,
que por las calles creció
buscando el amor bajo el sol.
Su madre lo abandonó,
su padre lo maltrató,
su casa fue un callejón,
su cama un cartón,
su amigo Dios.
Juan preguntó por amor,
y el mundo se lo negó,
Juan preguntó por honor,
y el mundo le dio deshonor.
Juan preguntó por perdón,
y el mundo lo lastimó,
Juan preguntó y preguntó,
y el mundo jamás lo escuchó.
Él solo quiso jugar,
él solo quiso soñar,
él solo quiso amar,
pero el mundo lo olvidó.
Él solo quiso volar,
él solo quiso cantar,
él solo quiso amar,
pero el mundo lo olvidó.

Fragmento de la canción "La historia de Juan", del álbum *Un día normal*, 2002, de Juanes.

UNA BIOGRAFÍA
VAMOS A PRESENTAR LA BIOGRAFÍA DE UNA PERSONA QUE NOS INTERESE.

¿QUÉ NECESITAMOS?

En papel
- ✔ una o varias cartulinas
- ✔ rotuladores y pegamento
- ✔ fotografías del personaje

Con el ordenador

- ✔ un programa para hacer presentaciones (Power Point, Keynote...)
- ✔ un proyector en clase

A. Formad grupos de tres y decidid sobre qué personaje vais a hacer la presentación. Puede ser un personaje del pasado o un personaje vivo.

B. Luego, haced una lista de aspectos de su biografía que queréis tratar:

- Fecha y lugar de nacimiento (y muerte)
- Profesión (deportista, cantante, político, artista, científico...)
- Obras (libros, discos, películas...)
- Premios, concursos, descubrimientos, campeonatos...
- Viajes
- ...

C. Buscad información en internet u otras fuentes y redactad la información de forma esquemática. Buscad imágenes y haced un póster o una presentación digital.

D. Presentad vuestro personaje a la clase.

APRENDER A APRENDER
Antes de hacer la presentación **ensayad** con vuestro grupo y **corregíos**. También puede ser muy útil **grabaros** para detectar vuestros propios errores.

COMPRENSIÓN LECTORA

1. Lee atentamente los fragmentos de la biografía de Juanes, un famoso músico y cantante colombiano, y ordénalos.

> 1 Juan Esteban Aristizábal Vasques, conocido como "Juanes", nació en Medellín (Colombia) el 9 de agosto de 1972.

> Un año más tarde volvió al mundo artístico con un nuevo disco: *La vida es... un ratico* . De este álbum se vendieron más de un millón de copias y tuvo más de seis millones de descargas en internet. Además, con él ganó un gran número de premios musicales.

> En agosto de 2006 dejó los escenarios para estar con su familia y hacer nuevas canciones.

> Desde niño aprendió a tocar la flauta y la guitarra.

> En 2002 grabó su segundo disco como solista: *Un día normal*.

> En 1997, la banda se disolvió.

> En 2012 ganó de nuevo el premio Grammy Latino con su disco *MTV Unplugged*.

> Ahora tiene dos asociaciones solidarias con las víctimas de las minas antipersonas y de las drogas: la Fundación Mi Sangre y el Parque Juanes de la Paz.

> A los quince años empezó su carrera artística como cantante y guitarrista en una banda de thrash metal llamada *Ekhymosis*.

> Dos años después grabó su tercer disco, *Mi sangre*, que fue número uno en muchos países del mundo y con el que ganó el premio Grammy Latino.

> A los 28 años grabó su primer disco en solitario: *Fíjate bien*.

> En 1998 se fue a vivir a Los Ángeles (EEUU).

 COMPRENSIÓN ORAL

Pista 13

2. Escucha la biografía de este personaje y elige las respuestas correctas.

1. Se llama:
- [ ] **a.** Paco de Lucía
- [ ] **b.** Santiago Ramón y Cajal

2. Fue un famoso:
- [ ] **a.** guitarrista
- [ ] **b.** científico

3. Vivió en:
- [ ] **a.** España
- [ ] **b.** México

4. En su vida fue importante:
- [ ] **a.** ganar el Premio Nobel de Medicina
- [ ] **b.** ganar el Premio Príncipe de Asturias de las Artes

5. Murió en:
- [ ] **a.** Portugal
- [ ] **b.** España

EXPRESIÓN ESCRITA

3. Escribe cinco fechas importantes (para tu vida personal o para el mundo) y, a su lado, qué ocurrió en estas fechas.

EXPRESIÓN ORAL

4. Cuenta la biografía de una persona de tu familia mostrando cuatro fotos de distintos momentos de su vida.

INTERACCIÓN ORAL

5. En parejas, uno de vosotros es un personaje famoso y su compañero debe entrevistarle y hacerle cinco preguntas acerca de su vida.

unidad

3

AQUÍ VIVO YO

NUESTRO PROYECTO: VAMOS A HACER UN JUEGO DE PISTAS POR LA ESCUELA PARA ENCONTRAR UN OBJETO ESCONDIDO.

VAMOS A...

leer en un correo electrónico y en un blog información sobre pueblos y barrios; leer un artículo sobre el *hip hop*;

escuchar conversaciones en las que se buscan y localizan objetos; escuchar unas instrucciones para dibujar un plano;

dar nuestra opinión en un foro sobre un barrio; describir un lugar;

contar dónde vivimos; describir las diferencias entre dos planos;

situar lugares en un barrio; comentar lo que nos gusta y lo que no de nuestro barrio;

ver cómo una chica nos presenta su barrio.

VAMOS A APRENDER...

- marcadores espaciales: **encima de, debajo de, delante de, detrás de, a la izquierda, a la derecha, junto a, cerca de, lejos de**...;
- los pronombres personales de CD;
- **un/-o, algún/-o, ningún/-o, una, alguna, ninguna**...;
- las diferencias entre **hay** y **está**;
- los usos de los artículos determinados e indeterminados;
- las partes de una ciudad;
- los muebles y las habitaciones de una casa;
- la pronunciación de los diptongos.

Feria de productos artesanales en Burgohondo.

NAVALUENGA

DE: <Adri Lorenzo>
PARA: <Giovanni Colussi>
ASUNTO: Mi pueblo

Hola, Giovanni:

En tu último correo me preguntas por el lugar donde vivo. Pues vivo en Navaluenga, un pueblo pequeño al sur de la provincia de Ávila, en Castilla y León. Está a 100 km de Madrid y tiene unos 2000 habitantes.

La plaza está en el centro del pueblo y ahí están el Ayuntamiento y el bar más grande. Los domingos en la plaza hay mucha gente, incluso por la noche. Y en las fiestas vienen grupos musicales y hay baile por la noche hasta muy tarde.

En el pueblo hay una iglesia muy bonita y antigua que se llama Nuestra Señora de los Villares.

Navaluenga está junto al río Alberche. Al pasar por el pueblo, el río forma varias piscinas naturales y ahí nos podemos bañar. En verano es genial.

También en verano, en todos los pueblos de la zona se hacen ferias de productos artesanales: ropa, comida típica... ¡Mmmh! También hay otras fiestas con bailes regionales, bandas de música, competiciones deportivas... Es muy divertido. Siempre que podemos vamos con mis padres.

Cerca del pueblo hay bosques y caminos fantásticos. Mis amigos y yo, cuando estamos de vacaciones, vamos muchas tardes de excursión en bicicleta por los alrededores.

Te envío algunas fotos. ¡A ver si te gustan y vienes a visitarme el próximo verano! Un abrazo.

Adrián

Mi pueblo

 Lee el correo electrónico que le escribe Adrián a su amigo Giovanni. Con un compañero, escribe alguna información para cada fotografía.

el espejo

la ducha

el televisor

el váter

● partes de la casa   ● muebles y objetos

1. No encuentro mi anorak ▶ CE: 6 (p. 32)

 A. La familia Álvarez se ha cambiado de casa y Manu y Nerea no encuentran estas cosas. Buscadlas y señaladlas en el dibujo.

una mochila verde

una mochila negra y roja

unas botas negras

un anorak amarillo

una gorra naranja

● El anorak amarillo está aquí.
○ Y la mochila verde, aquí.

APRENDER A APRENDER
Para mejorar tu **pronunciación** y tu **entonación**, escucha y lee este diálogo varias veces en voz alta. Luego, en grupos, cada uno puede interpretar un personaje.

 B. Escucha y lee la conversación entre Nerea, Manu y su madre. Luego, escribe en el dibujo las palabras que puedes deducir.

Pista 14

Manu: Mamá, no encuentro mis botas negras ni mi anorak...
Madre: ¿El anorak amarillo? Lo he visto en la habitación de Nerea, encima de la cama. Y tus botas las he puesto delante del armario, creo.
Nerea: ¿Y mi mochila verde? ¿Dónde está?
Madre: La has dejado en la cocina. ¿No te acuerdas?
Nerea: ¿Y la gorra? La naranja.
Manu: ¿Tu gorra naranja? En el baño, en la estantería. Mamá, ¿y mi mochila negra y roja?
Madre: En el salón, ¿no la ves? Encima del sofá, junto a la lámpara. ¡Uf! ¡Qué desorden!

SITUAR EN EL ESPACIO ▶ CE: 8 (p. 33)

 encima de

 detrás de

 al lado de, junto a

 a la derecha de

 aquí

 debajo de

 delante de

dentro de

a la izquierda de

 ahí

HAY / ESTÁ

Si hablamos de la existencia de un objeto o lugar:

*En mi casa **hay** dos cuartos de baño.*
*En el comedor **hay** un sofá y dos sillones.*

Si hablamos de dónde se encuentra un objeto o lugar:

● *Perdona, ¿dónde **está** el cuarto de baño?*
○ ***Está** al lado de mi habitación.*

¿Dónde están
mis zapatillas?

Las he dejado
debajo de la
cama.

el suelo

cómics

2. Debajo de la cama ▶ CE: 1 (p. 29), 2 (p. 37)

 A. Escucha a Manu y a Nerea y mira el dibujo de su habitación. Luego, construye frases para decir dónde están estas cosas y escribe las palabras que faltan en el dibujo.

Pista 15

1. Las zapatillas	está	a. en la estantería
2. La raqueta de tenis	están	b. dentro de la caja grande
3. Los cómics		c. detrás de la puerta
4. La caja grande		d. encima del armario
5. El monopatín		e. debajo de la cama

 B. Mira el dibujo y escribe dónde están estos objetos en la casa.

la lámpara | la pelota de fútbol | la planta | la mesa

La lámpara está al lado de...

PRESENTES IRREGULARES

	ENCONTRAR (O > UE)	PONER (G)
yo	enc**ue**ntro	pon**g**o
tú	enc**ue**ntras	pones
él / ella	enc**ue**ntra	pone
nosotros/-as	encontramos	ponemos
vosotros/-as	encontráis	ponéis
ellos / ellas	enc**ue**ntran	ponen

Como **encontrar: recordar, costar, acostarse, contar, volar, sonar**...

 C. La casa está desordenada y hay algunas cosas en lugares extraños. Encuentra tres y escribe dónde están.

Hay unos zapatos encima del sofá.
Hay unos libros en el suelo de...

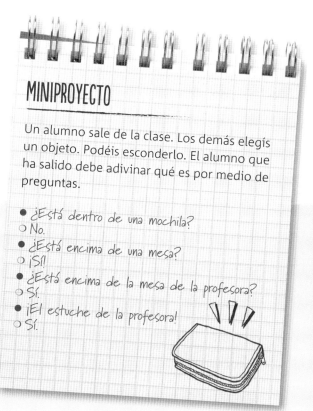

MINIPROYECTO

Un alumno sale de la clase. Los demás elegís un objeto. Podéis esconderlo. El alumno que ha salido debe adivinar qué es por medio de preguntas.

● ¿Está dentro de una mochila?
○ No.
● ¿Está encima de una mesa?
○ ¡Sí!
● ¿Está encima de la mesa de la profesora?
○ Sí.
● ¡El estuche de la profesora!
○ Sí.

3. El barrio de la Paz ▶ CE: 9 (p. 34), 10 (p.35)

A. ¿Vives en un barrio o en un pueblo? ¿Y tus compañeros? ¿Dónde vive la mayoría de vuestra clase?

APRENDER A APRENDER
Ejercita tu **memoria**. Con un compañero, mirad estas palabras, luego cerrad los ojos e intentad escribir todas las que podáis. ¿Qué habéis hecho para recordarlas?

B. Busca en el mapa...

una plaza · una tienda · una estación de metro

un aparcamiento · un hotel · un museo

un parque · un supermercado

un restaurante · una parada de autobús · una iglesia

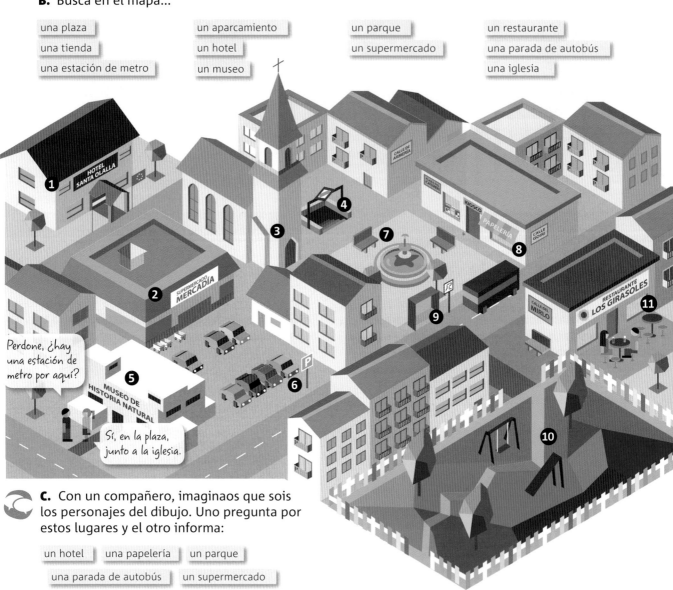

Perdone, ¿hay una estación de metro por aquí?

Sí, en la plaza, junto a la iglesia.

C. Con un compañero, imaginaos que sois los personajes del dibujo. Uno pregunta por estos lugares y el otro informa:

un hotel · una papelería · un parque

una parada de autobús · un supermercado

LA CIUDAD Y EL BARRIO ▶ CE: 5 (p. 31)

Es	una ciudad tranquila.
	un pueblo muy bonito.
	un barrio poco animado.

Hay	demasiada contaminación.
	muchos coches.
	bastantes parques.
	pocos restaurantes.
No hay ningún cine.

Mi pueblo **tiene** varias tiendas.

Mi barrio **está bien / mal** comunicado.
situado.

Mi barrio **está sucio / limpio.**

Mi barrio **está**	en el centro (de la ciudad).
	cerca / lejos del centro.
	en las afueras (de la ciudad).
	a 20 minutos del centro.
	a 5 km del centro.

En mi barrio **faltan** cines.

UN/-O, ALGÚN/-O, NINGÚN/-O
UNA, ALGUNA, NINGUNA

● Perdone, ¿sabe si hay **algún** supermercado por aquí cerca?
○ Sí, hay **uno** allí, en la plaza.
○ No, por aquí **no** hay **ninguno**. (= No, por aquí **no** hay **ningún** supermercado.)

● Perdona, ¿hay **alguna** tienda de deportes en el pueblo?
○ Sí, hay **una** en la plaza Mayor.
○ No, **no** hay **ninguna**.

4. Nuestro barrio ▶ CE: 1 (p. 36), 3 (p. 37), 1 (p. 38), 1 (p. 39)

Lee la información y los comentarios sobre el barrio de La Latina en el blog. ¿Te gustaría vivir en este barrio? ¿Por qué?

- A mí sí. Lo que me gusta es el mercadillo.
- Pues a mí no, porque...

El mercadillo del Rastro, con todo tipo de objetos inesperados.

| ¿QUIÉNES SOMOS? | HISTORIA DEL GRUPO | OBRAS DE TEATRO | AGENDA |

NUESTRO BARRIO

Vivimos y estudiamos en Madrid, en el barrio de La Latina. Es un barrio antiguo situado en el centro de la ciudad.

Las calles más conocidas del barrio son la Cava Alta y la Cava Baja, la calle Toledo y la calle Segovia. Y las dos plazas con más historia son la plaza de la Paja y la plaza de la Cebada.

Si vas a La Latina, te va a gustar ir al mercado de San Miguel, que es muy bonito y está cerca, y sobre todo, al Rastro, el mercadillo más famoso de toda España.

Nos gusta nuestro barrio porque es muy animado: hay muchos bares de tapas, terrazas y mesones, que son restaurantes de comida típica. Por eso viene gente de toda la ciudad a pasear y a tomar algo, y también turistas. Además, aquí convivimos personas de todo el mundo: de España, de Marruecos, de China, del Caribe...

La fiesta del barrio se llama la Verbena de la Paloma y se celebra del 15 al 18 de agosto.

La Latina está muy bien comunicada: hay dos estaciones de metro y muchos autobuses. ¡Nos encanta vivir aquí!

COMENTARIOS

AHMED	Para mí, lo mejor del barrio son el instituto y el centro deportivo. Lo que no me gusta es que por la noche hay ruido, porque hay mucha gente en las terrazas y en los bares.
MARIVÍ	A mí, el barrio me gusta porque es muy animado y hay muchas tiendas. Pero faltan lugares al aire libre para jugar o para ir en bici, en monopatín...
YAHEIRY	Lo que no me gusta de este barrio es que no hay ningún parque. Además, está un poco sucio. A mí me gustan más las urbanizaciones de las afueras.

Una terraza con gente tomando tapas.

¿SABES QUE...?

En España, en muchos bares sirven **tapas**. Son pequeñas raciones de comida que se toman antes del almuerzo o de la cena. Hay muchísimas variedades. Los bares de tapas son lugares de encuentro con los amigos.

CAUSAS Y CONSECUENCIAS ▶ CE: 11 (p. 35)

*Me gusta salir a pasear **porque** es un barrio muy alegre.*
*Hay mucha contaminación; **por eso** no voy en bici por mi ciudad.*

LO QUE

Lo que me gusta de mi ciudad	**es** el río.
	son los parques.
	es que puedes hacer deporte.

Lo que no me gusta de mi pueblo	**es** el frío.
	son las fiestas.
	es que no hay sitios para jóvenes.

MINIPROYECTO

Vais a escoger un barrio o pueblo que todos conozcáis bien. Cada uno escribe un comentario como los del foro de La Latina. Luego, recortáis todos los comentarios y confeccionáis el "Foro de la clase" sobre vuestro barrio o vuestro pueblo.

USOS DE SER, ESTAR, HABER Y TENER ▶ CE: 7 (p. 32)

En mi ciudad	hay	**un** aeropuerto muy grande / **una** fábrica de coches.
		dos aeropuertos / **varios** parques / **muchos** cines.
		un castillo / **una** catedral muy antigua.
		aeropuerto / puerto / metro / carril bici / tren / mar.*
Mi ciudad	tiene	aeropuerto / puerto / metro / carril bici / tren / mar.*
Mi casa	está	**cerca de** Madrid / **en** el centro / **a** 2 km **de** aquí.
		bien comunic**ada** / rode**ada** de tiendas.**
Mi región	es	montañosa / muy bonita / bastante rica.
		una region turística / **la** parte sur del país.***

👁 *Sin artículo, solo para marcar la existencia de un servicio si solo hay uno (**aeropuerto**) o si va en plural (**parques**).

👁 **Con adjetivos derivados de participios (**-ado**, **-ido**): siempre el verbo **estar**.

👁 ***Con **un** / **una**, **el** / **la** detrás del verbo: no se usa nunca el verbo **estar**, siempre el verbo **ser**.

1. Completa con el verbo adecuado: **es**, **está**, **hay** o **tiene**.

a. En mi ciudad ...... muchos hoteles porque ...... bastantes turistas.
b. Madrid ...... museos muy buenos y muy conocidos como el Museo del Prado, el Reina Sofía, el Museo Thyssen...
c. Zaragoza ...... a 300 km de Madrid.
d. Galicia ...... una región muy interesante. ...... en el noroeste de España, al norte de Portugal.
e. ¿...... playa Valencia?
f. Sevilla ...... la capital de Andalucía. ...... una ciudad bastante grande y muy bonita.
g. En Burgos ...... una catedral gótica muy importante.
h. Nuestro barrio no ...... centro deportivo; por eso vamos a jugar al baloncesto a la pista del parque.
i. ¿La ciudad de Quito ...... mar?
j. Este cámping ...... piscina, mesas de ping-pong y un bar estupendo: ¡nos encanta!

PRONOMBRES ÁTONOS DE COMPLEMENTO DIRECTO

▶ CE: 2 y 3 (p. 30), 4 (p. 31)

me	¿**Me** has llamado por teléfono esta tarde?
te	**Te** voy a buscar a tu casa a las 7 h, ¿vale?
lo	○ ¿Qué has hecho con el libro de matemáticas?
la	● **Lo** he puesto en tu mochila.
	○ ¿Qué has hecho con la chaqueta?
	● **La** he guardado en el armario.
nos	La tía Carmen **nos** quiere mucho.
os	¿Vuestro padre **os** ha llevado al cine en coche?
los	○ ¿Qué has hecho con los pasteles?
las	● **Los** he puesto en la nevera.
	○ ¿Dónde están las bicicletas?
	● **Las** he dejado en el garaje.

👁 Cuando queremos resaltar un complemento directo sobre otros posibles objetos, este va al principio de la frase. Entonces hay que incluir también el pronombre.

Las botas **las** he dejado en la puerta y el abrigo **lo** he colgado en el armario.

👁 Si el complemento directo es un ser humano masculino, el pronombre puede ser **lo** o **le**.

A Manuel **lo** veo todos los días. = A Manuel **le** veo todos los días.

2. Señala en estas frases los pronombres y subraya las palabras a las que se refieren. Une los dos elementos con una flecha como en el ejemplo.

a. ¿Me dejas esta película?
  Uy... no puedo: la tengo que devolver mañana. Además, ya la hemos visto y no es muy buena.
b. ¿Dónde está mi mochila? No la encuentro.
c. ¿Buscas tu gorra? La has dejado en el baño.
d. Tengo el cuarto muy desordenado. Tengo que ordenarlo hoy mismo.
e. ¿Me das tu correo electrónico? Creo que no lo tengo.

3. Completa estas frases con pronombres.

a. ● ¿Has visto a Eva?
  ○ Sí, ... he visto por la calle esta mañana.
b. ● ¿...... puedes llamar más tarde? Ahora estoy comiendo.
c. ● ¿Dónde has dejado la ropa?
  ○ Los zapatos ...... he puesto en el garaje y tu jersey ...... he dejado encima de la cama.
d. ● ¿Miguel ha llevado su maleta al coche?
  ○ Sí, ... ha puesto en el maletero.
  ● ¿Y la bolsa amarilla, ... ha llevado también al coche?
  ○ No lo sé.

4. Fíjate en los diálogos anteriores. ¿Cómo serían en tu lengua? ¿Hay alguna palabra equivalente a estos pronombres?

HAY UN GATO...

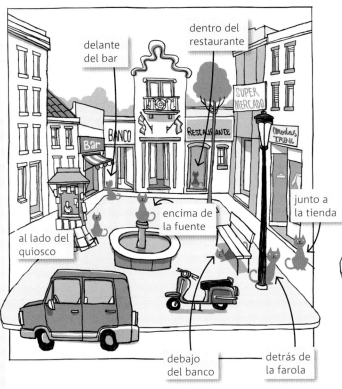

delante del bar

dentro del restaurante

al lado del quiosco

encima de la fuente

junto a la tienda

debajo del banco

detrás de la farola

1. ¿Y ahora? Escribe ocho frases explicando dónde están los gatos.

Hay un gato... / Y otro... / Y hay dos gatos...

¿RÍO O RIO? DIPTONGOS

1. En español, en muchas palabras, hay vocales juntas. Escucha y señala cuál de las dos divisiones silábicas es la correcta.

Pista 16

a. ☐ quie|ro	☐ qui|e|ro
b. ☐ nue|vo	☐ nu|e|vo
c. ☐ es|tu|dian	☐ es|tu|di|an
d. ☐ cua|der|no	☐ cu|a|der|no
e. ☐ bien	☐ bi|en
f. ☐ cien|cia	☐ ci|en|ci|a
g. ☐ rei|na	☐ re|i|na

2. Observa la columna de la izquierda. ¿Cómo se pronuncian estos grupos de vocales? ¿En una sílaba o en dos?

(**i, u**) + (**a, e, o**) se pronuncian _____
(**a, e, o**) + (**i, u**) se pronuncian _____

> Los **diptongos** son conjuntos de dos vocales que se pronuncian en una misma sílaba.

3. A veces, el acento gráfico o tilde nos ayuda a saber si hay diptongo o si las vocales forman sílabas distintas. ¿Sabes cuándo ponemos tilde? Puedes deducirlo contando las sílabas de estas palabras.

Pista 17

a. frio	frío		**b.** rio	río
c. crio	crío		**d.** lio	lío

Estantería

Raperos: poetas del barrio

El *hip hop* es un arte global que une dibujo y pintura (grafiti), baile (*breakdance*) y música (rap). Nació en los barrios pobres de Nueva York a finales de los años 60 y hoy está extendido por las ciudades de todo el mundo. Con sus rimas de protesta, los raperos cuentan y denuncian los problemas que tiene la juventud. Actualmente, el rap en español ya es un fenómeno musical y discográfico que llega a todo el mundo.

REBEL DÍAZ

Se llaman Rodrigo y Gonzalo Venegas y son dos hermanos de Chicago, hijos de chilenos exiliados en Nueya York. En la mayoría de sus canciones mezclan español e inglés, pero también tienen algunas que son totalmente en español. Son solidarios con todas las luchas a favor de la libertad en los EEUU, entre ellas las relacionadas con Occupy Wall Street. Su proyecto musical está unido a un proyecto artístico y social.

LEGUAYORK

Es un grupo de *hip hop* formado en el barrio de la Legua (cerca de Santiago de Chile). Tienen varios discos grabados y en su barrio han impulsado la formación artística de los jóvenes sin trabajo. Se sienten herederos de los grandes cantautores chilenos y, como ellos, componen y cantan canciones de protesta para la construcción de una sociedad más justa.

LENGUA ALERTA

Es un rapero mexicano con mucha influencia de la música jamaicana. Sus mensajes son de lucha, solidaridad y optimismo.

ARIANNA PUELLO

Nació en la República Dominicana y vive en España desde hace muchos años. Como mujer, fue la pionera en el *hip hop* español. Sus letras hablan de problemas sociales y también de la problemática de las mujeres. Ha hecho conciertos por todo el mundo.

EL CHOJIN

Domingo Antonio Edjang Moreno, más conocido como El Chojin (nombre del dios de la saga de animación japonesa *Urotsukidōji*, pronunciado "choyín") es un rapero nacido en Madrid (España). Es conocido por su estilo, llamado rap conciencia, con el que rechaza la violencia, el racismo, las drogas y el alcohol. Ha presentado y ha participado en varios programas de radio y televisión en España.

VÍDEO

El barrio de Marta

 Una chica de 13 años que vive en Coslada, cerca de Madrid, nos enseña su barrio y los lugares a los que va todos los días.

CANCIÓN

 ## Te llevo

Pista 18

Oye, ¿te vienes a dar una vuelta? No, no vamos a ningún sitio; solamente... por paseo.

Quiero enseñarte cómo es mi barrio. Aquí he crecido, aquí me quedo. [...]

Sube a mi buga[1]; te llevo. Vamos sin prisa, por el simple placer del paseo. Mi barrio ha sido mi escuela, mi clase y mi recreo. Aquí crecí y aquí me quedo. [...]

Cada momento lo viví intensamente; todo es importante si sabes sacarle el jugo.

Por eso cojo el coche, vengo y disfruto de los recuerdos, de los hechos que me hicieron adulto.

Veo a los chavales sintiendo que el mundo es suyo, sintiéndose astutos mientras descubren los mismos trucos.

*Fragmento de la canción "Te llevo" (*El ataque de los que observaban*, 2011), de El Chojin*

[1] buga = en argot, coche

CALLE 13

Es una banda de Puerto Rico formada por dos hermanos, René y Eduardo, a los que a veces acompaña su hermana pequeña, Ileana. Hasta 2013, este grupo ha ganado 12 premios Grammy latinos y es el grupo que canta rap en español más conocido de toda América. Pero el éxito no les hace olvidar sus compromisos con la lucha por una mayor justicia y por los derechos humanos en Latinoamérica.

JUEGO DE PISTAS
VAMOS A HACER UN JUEGO: VAMOS A ESCONDER ALGÚN OBJETO QUE OTROS TIENEN QUE ENCONTRAR.

¿QUÉ NECESITAMOS?

- ✓ copias del plano de vuestro instituto
- ✓ papeles recortados tamaño DIN A-5 para las pistas
- ✓ rotuladores u ordenadores para dibujar los logotipos
- ✓ el tesoro

A. Formad equipos. Cada uno elige su "tesoro", es decir, el objeto que va a esconder. Puede ser una caja con dulces, pulseras, chapas, fotos de vuestros cantantes o artistas favoritos, etc.

B. Diseñad un logotipo con el que vais a marcar las pistas de vuestro equipo. Cada grupo diseñará un logotipo distinto.

C. Trazad un itinerario con 10 paradas hasta llegar al lugar del tesoro.

D. Con vuestro equipo, escribid las 10 pistas que ayudarán a los otros a encontrar el camino hasta el tesoro. Cada pista deberá llevar una explicación de la localización de dónde encontrar la próxima pista y vuestro logotipo.

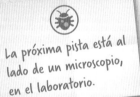
La próxima pista está al lado de un microscopio, en el laboratorio.

Está a diez pasos hacia la derecha desde la puerta a la biblioteca.

E. Distribuid las pistas por el instituto y esconded vuestro tesoro.

F. Ahora, cada grupo elige un papel con el logotipo de otro equipo y recoge la primera pista. ¡Ya podéis empezar a buscar!

📖 COMPRENSIÓN LECTORA

1. Lee las dos descripciones. ¿A cuál de los dos barrios pertenece cada una de estas afirmaciones?

	LA HABANA VIEJA	TRIANA
Hay muchos monumentos importantes.		
Hay locales para escuchar flamenco.		
Está junto al mar.		
Allí nacieron varios toreros famosos.		
Es un lugar para salir por la noche.		

BARRIO DE TRIANA (SEVILLA, ESPAÑA) A

Es un barrio popular y famoso por los toreros y los artistas flamencos que han nacido allí. Está situado junto a río Guadalquivir. Por la noche hay mucha gente porque hay muchos bares y también tablaos, que son lugares para escuchar y ver el baile flamenco.

LA HABANA VIEJA (LA HABANA, CUBA) B

Es el barrio más antiguo de la capital de Cuba y uno de los más grandes e interesantes de Latinoamérica. Tiene edificios antiguos e iglesias, sobre todo del siglo XVI. En este barrio empieza el Malecón, que es un paseo marítimo muy largo conocido en todo el mundo.

🎧 COMPRENSIÓN ORAL
Pista 19

2. Dibuja siguiendo las instrucciones que vas a escuchar. Necesitas una hoja de papel en blanco.

✍ EXPRESIÓN ESCRITA

3. Describe tu habitación: en qué parte de la casa está, cómo es, qué hay en ella, y si te gusta o no.

💬 EXPRESIÓN ORAL

4. Encuentra y explica las siete diferencias entre los dos dibujos.

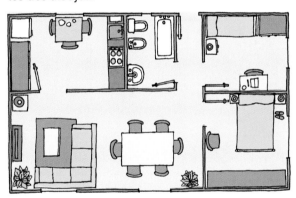

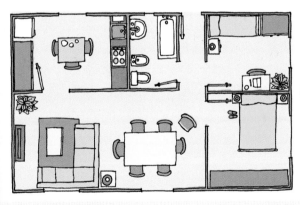

🌀 INTERACCIÓN ORAL

5. Busca a un compañero que viva en el mismo barrio, pueblo o ciudad que tú. Dile qué te gusta y qué no te gusta del lugar donde vivís. Entre los dos, encontrad tres cosas que os gustan a los dos y tres cosas que no os gustan.

unidad 4

OTROS TIEMPOS

Los aztecas representaron a sus dioses y a sus mitos en la Piedra del Sol (siglo XV, Museo Nacional de Antropología, México D. F.).

El artista Diego Rivera representó la ciudad de Tenochtitlan teniendo en cuenta la arquitectura, los vestidos y las costumbres de la época. Rivera pintó este mural en el Palacio Nacional de México D. F. (1929 - 1935).

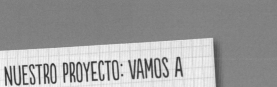

NUESTRO PROYECTO: VAMOS A INVENTAR Y A DESCRIBIR UNA CIVILIZACIÓN DEL PASADO.

VAMOS A...

- leer información histórica y leer sobre una civilización imaginaria;

- escuchar los relatos de infancia de varias personas;

- escribir sobre las diferencias entre la vida antes y ahora y sobre cómo han cambiado dos chicas;

- contar la infancia de una persona mayor y describir los cambios de alguien de nuestro entorno;

- comentar cómo han cambiado dos chicas (desde su infancia hasta su adolescencia) y explicar cómo era la escuela en una civilización imaginaria.

- ver un reportaje sobre la historia de Granada.

VAMOS A APRENDER...

- **ser** y **estar** con adjetivos;
- la forma y algunos usos del pretérito imperfecto;
- a comparar el pasado con el presente;
- a hablar de cambios en las personas;
- conectores para relacionar información: **además, en cambio, como, por eso**...;
- conectores y marcadores para hablar del pasado y para relacionar información en el tiempo: **cuando, ya no, entonces, de vez en cuando, en aquella época**...;
- léxico para describir materiales;
- cómo suenan las letras **b, d** y **g** en distintas posiciones en las palabras.

La ciudad de Tenochtitlan (hoy México D. F.), fundada por los aztecas en 1356, fue la capital de un imperio que reinó durante dos siglos en gran parte del actual territorio mexicano. Tenochtitlan se construyó sobre una isla en el lago Texcoco. En el siglo xv era una de las ciudades más pobladas del mundo y disponía de avances tecnológicos muy importantes como el agua potable y canales para navegar dentro de la ciudad. En 1519 el español Hernán Cortés entró en la ciudad con un pequeño ejército: ese fue el principio del fin del Imperio azteca.

Dibujo de la ciudad de Tenochtitlan (Museo Nacional de Antropología, México D. F.).

Con más de 20 millones de habitantes y 1400 km², México D. F. es hoy una de las ciudades más grandes del mundo. Ocupa el lugar de la antigua Tenochtitlan y del lago Texcoco, que ha desaparecido.

Dos ciudades en el valle de México

¿Tenochtitlan o México D. F.? Marca la opción correcta.

	Tenochtitlan	México D. F.
Había un lago.		
Ya no hay lago.		
Era la capital del Imperio azteca.		
Es la capital de México.		
Tenía más de 300 000 habitantes.		
Tiene más de 20 millones de habitantes.		
Tenía muchos canales.		
Ya no tiene canales, solo calles.		
La gente iba en barca.		
La gente va en coche, en metro o en autobús.		

1. Antes no había ordenadores ▶ CE: 5 (p. 43)

 A. Mira las imágenes y lee cómo era la vida cuando la abuela de Mar era joven. Luego, escribe frases sobre cómo es la vida ahora.

¿SABES QUE...?

En España, durante la **dictadura de Franco** (1939-1975), muchas cosas no estaban permitidas y no se podía hablar de muchos temas como el sexo, la política, la libertad....

ANTES, CUANDO LA ABUELA ERA JOVEN...　　　**AHORA, ...**

...jugaba en la calle

...solo existían los teléfonos fijos.

...escuchaba discos y cintas.

...no tenía ordenador, escribía a máquina.

...la televisión era en blanco y negro y solo había dos canales.

casi todo el mundo tiene móvil.

B. En las frases de la izquierda aparecen verbos en un nuevo tiempo del pasado: el pretérito imperfecto. Búscalos y completa la tabla. ¿Cómo se forma este tiempo?

PRETÉRITO IMPERFECTO	INFINITIVO
llamaba	llamar
escribía	escribir
...	...

 C. Ahora escucha el diálogo entre César y su abuelo y termina estas frases.
Pista 20

En la época del abuelo...
1. la gente escribía...
2. no había...
3. los niños jugaban a / con / en...
4. la gente iba de vacaciones...
5. no se viajaba...

SER Y ESTAR CON ADJETIVOS

Para describir cualidades: **ser** + adjetivo.

Joel es moreno.
Ariel es rubio.
Los dos son muy guapos.

Para indicar cambios o características temporales: **estar** + adjetivo.

Joel ahora está más delgado.
Ariel ahora está más moreno.
Los dos hoy están muy guapos porque van a una fiesta.

EL PRETÉRITO IMPERFECTO
REGULARES

	ESTAR (-AR)	TENER (-ER)	ESCRIBIR (-IR)
yo	est**aba**	ten**ía**	escrib**ía**
tú	est**abas**	ten**ías**	escrib**ías**
él / ella	est**aba**	ten**ía**	escrib**ía**
nosotros/-as	est**ábamos**	ten**íamos**	escrib**íamos**
vosotros/-as	est**abais**	ten**íais**	escrib**íais**
ellos / ellas	est**aban**	ten**ían**	escrib**ían**

2. ¡Cómo han cambiado! ▶ CE: 1 (p. 41), 2 (p. 42), 4 (p. 43), 1 (p. 51)

 A. Mira los dibujos. ¿A quién se refieren estas informaciones? ¿A Valeria o a Estrella? Háblalo con un compañero.

Ahora...	Valeria	Estrella
1. está más morena.		
2. se ha cortado el pelo.		
3. se ha dejado el pelo largo.		
4. ha cambiado de estilo.		
5. ha crecido mucho: ahora es muy alta.		
6. ha engordado un poquito.		
7. se ha puesto lentillas.		
8. ya no hace danza clásica.		
9. ha empezado a leer novelas muy largas.		
10. le gusta jugar al baloncesto.		

B. ¿Cómo eran antes Valeria y Estrella? Vuelve a mirar los dibujos y escribe cómo eran, qué hacían, qué les gustaba, qué tenían...

A Valeria le gustaban las muñecas.
Estrella estaba más...

VALERIA
ANTES

ESTRELLA
ANTES

VALERIA
AHORA

ESTRELLA
AHORA

EL PRETÉRITO IMPERFECTO
IRREGULARES

	IR	SER
yo	iba	era
tú	ibas	eras
él / ella	iba	era
nosotros/-as	íbamos	éramos
vosotros/-as	ibais	erais
ellos / ellas	iban	eran

El imperfecto de la forma **hay** es **había**.

CUANDO

Cuando mis padres eran jóvenes, **iban** de vacaciones a España.
Yo, **cuando** era pequeño, **llevaba** gafas.

YA NO

Antes yo tocaba la guitarra pero ahora **ya no** la toco.
Ya no me gusta jugar con la consola. Prefiero chatear con mis amigas.

MINIPROYECTO

En parejas, escribid una lista de preguntas para hacer a una persona mayor sobre su juventud o adolescencia. Luego, contad lo que os ha dicho en español a toda la clase.

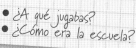

- ¿A qué jugabas?
- ¿Cómo era la escuela?

3. Solo comían frutas y verduras ▶ CE: 7 y 8 (p. 45), 1 (p. 48), 2 (p. 49)

A. Lee este relato que describe una civilización imaginaria. ¿Qué es lo que más te gusta de esta época?

HABÍA UNA VEZ UN PUEBLO QUE VIVÍA EN PAZ, EN UN VALLE ENTRE MONTAÑAS: ERAN LOS GOLFIANOS.

TENÍAN EL PELO GRIS Y LAS OREJAS PUNTIAGUDAS. LAS MUJERES LLEVABAN TRENZAS O COLETAS Y LOS HOMBRES, EL PELO MUY LARGO.

A LOS GOLFIANOS NO LES GUSTABA LA CARNE NI EL PESCADO Y POR ESO ERAN VEGETARIANOS: COMÍAN VERDURAS Y FRUTAS. ADEMÁS, CASI TODO LO QUE COMÍAN ERA DE COLOR ROJO.

TODOS ERAN MUY TRABAJADORES: CULTIVABAN SUS HUERTOS, HACÍAN SUS VESTIDOS, ESTUDIABAN… TAMBIÉN VENDÍAN SUS PRODUCTOS EN LOS MERCADOS DE LA REGIÓN. LAS MONEDAS QUE USABAN ALLÍ ERAN CRISTALES DE DISTINTOS COLORES Y TAMAÑOS.

SE COMUNICABAN CON LOS GOLFIANOS DE OTROS PUEBLOS GOLPEANDO TRONCOS DE ÁRBOLES CON PALOS DE MADERA.

SUS MASCOTAS ERAN LAS TORTUGAS. CADA GOLFIANO TENÍA UNA QUE LO ACOMPAÑABA DURANTE TODA SU VIDA Y TENÍA SU MISMA EDAD. LAS TORTUGAS MUY VIEJAS VIVÍAN EN UN BOSQUE CERCA DEL PUEBLO.

EN LA CAPITAL GOLFIANA, GOLFILÓPOLIS, VIVÍAN TAMBIÉN MUCHOS EXTRANJEROS. EL GRUPO DE EXTRANJEROS MÁS IMPORTANTE ERAN LOS SINFÓNICOS. LOS SINFÓNICOS LLEVABAN EL PELO CORTO Y MUCHAS VECES, UNOS GRANDES SOMBREROS. SE VESTÍAN CON ROPA QUE FABRICABAN ELLOS MISMOS CON TELAS DE COLORES. TAMBIÉN FABRICABAN Y TOCABAN INSTRUMENTOS DE MÚSICA. ADEMÁS, SABÍAN CANTAR Y BAILAR; POR ESO ERAN LOS QUE ORGANIZABAN LAS FIESTAS EN TODO EL PAÍS.

LOS SINFÓNICOS COMÍAN VERDURAS Y FRUTAS QUE COMPRABAN A LOS GOLFIANOS EN LOS MERCADOS. PERO TAMBIÉN COMÍAN PESCADO Y CARNE; PESCABAN PECES CON LAS MANOS EN EL RÍO Y CAZABAN ANIMALES EN LOS BOSQUES. COMO ERAN PUEBLOS MUY PACÍFICOS, LOS GOLFIANOS Y LOS EXTRANJEROS CONVIVÍAN TODOS JUNTOS SIN GRANDES PROBLEMAS.

SUS VECINOS LOS PESTAZOS, EN CAMBIO, ERAN UN PUEBLO VIOLENTO Y DESAGRADABLE. DESGRACIADAMENTE, LOS VISITABAN DE VEZ EN CUANDO. LOS PESTAZOS NO SE LAVABAN, ERAN MUY VAGOS Y NO CULTIVABAN LOS CAMPOS NI TRABAJABAN. Y CUANDO NO TENÍAN COMIDA, ATACABAN A SUS VECINOS. ENTONCES HABÍA MUCHOS PROBLEMAS…

DESCRIBIR MATERIALES

 una moneda **de metal**   un avión **de papel**

 un palo **de madera**   una casa **de piedra**

 un vaso **de cristal**   un tejado **de paja**

 un vestido **de tela**   una bolsa **de plástico**

MARCADORES TEMPORALES

Cuando venían los pestazos todo el mundo se escondía porque robaban comida.

 cuando = cada vez que

De vez en cuando, venían los pestazos. **Entonces** todo el mundo se escondía porque robaban comida.

En la época de los golfianos no había electricidad ni agua corriente.

B. Lee estas afirmaciones, vuelve a leer el relato y di si son verdaderas o falsas.

	V	F

1. La capital de los golfianos se llamaba Golfilópilis.
2. Los golfianos comían mucho pescado.
3. En los mercados se usaban monedas de plástico.
4. Las tortugas eran las mascotas de los golfianos.
5. Los sinfónicos lleva ban el pelo corto.
6. En las fiestas había música que tocaban los sinfónicos.
7. Los pestazos solo comían verduras de color rojo.
8. Los pestazos eran muy sucios.

 C. Escribe una o dos frases sobre las costumbres de cada uno de los tres pueblos. Puedes hablar de:

- su forma de comunicarse
- su alimentación
- su forma de vestir y sus peinados
- su forma de ser

Los golfianos...
Los pestazos...
Los sinfónicos...
Había / no había...
Se comunicaban...
Se vestían con...

APRENDER A APRENDER
Para hablar o escribir pequeños textos usa las palabras que has aprendido, pero busca también en el diccionario las palabras que necesites para **decir lo que tú quieres**. Recuerda que aprenderás más y mejor si dices cosas que te interesan.

 D. Con un compañero, inventa un pequeño texto para la última imagen. ¿Cómo era la escuela en la época de los golfianos?

Estudiaban...
Se sentaban...
Tenían...
Había...

CONECTAR INFORMACIONES

Expresar causas: **como, porque**	Añadir información: **(y) además**
Como los golfianos eran vegetarianos, tenían huertos. Los golfianos tenían huertos **porque** eran vegetarianos.	Los sinfónicos eran músicos **y además** hacían teatro.
Expresar consecuencias: **(y) por eso**	Contrastar informaciones: **en cambio**
Los pestazos eran muy vagos **y por eso** no cultivaban la tierra.	Los golfianos eran comerciantes y agricultores; **en cambio**, los sinfónicos eran artistas.

MINIPROYECTO

Elige una época que conozcas o te guste (la Edad Media, la Prehistoria, el Imperio romano...). Imagina cómo podían ser las escuelas y descríbelas.

(no) estudiaban... (no) tenían...
(no) había... (no) iban...

EL PRETÉRITO IMPERFECTO
VERBOS REGULARES

	TRABAJAR	COMER	VIVIR
yo	trabaj**aba**	com**ía**	viv**ía**
tú	trabaj**abas**	com**ías**	viv**ías**
él / ella	trabaj**aba**	com**ía**	viv**ía**
nosotros/-as	trabaj**ábamos**	com**íamos**	viv**íamos**
vosotros/-as	trabaj**abais**	com**íais**	viv**íais**
ellos / ellas	trabaj**aban**	com**ían**	viv**ían**

1. Completa las frases.

a. Yo antes *(ir)* ...... a clases de piano. En cambio, ahora prefiero la guitarra.
b. Tú antes *(estar)* ...... más gorda, ¿no?
c. El año pasado nosotros *(tener)* ...... un profesor de Matemáticas muy divertido.
d. El curso pasado mis padres y yo *(vivir)* ...... en otro barrio.
e. Mi hermana antes *(llevar)* ...... el pelo muy largo, pero se lo ha cortado y está muy guapa.

2. Escribe cosas que recuerdes de tu infancia.

• ¿A qué te gustaba jugar?
• ¿Dónde vivías?
• ¿Cómo era tu primer maestro o maestra?
• ¿Qué hacías en vacaciones?
• ¿Quién era tu mejor amigo o amiga? ¿Cómo era?
• Otras cosas habituales que recuerdas.

LOS TIEMPOS PASADOS: IMPERFECTO, INDEFINIDO Y PERFECTO ▶ CE: 6 (p. 44), 12 (p.47)

Ahora ya conoces tres tiempos del pasado que existen en español y algunos de sus usos. Por ejemplo, del verbo **ir**.

	PRETÉRITO PERFECTO	PRETÉRITO INDEFINIDO	PRETÉRITO IMPERFECTO
yo	he ido	**fui**	iba
tú	has ido	**fuiste**	ibas
él / ella	ha ido	**fue**	iba
nosotros/-as	hemos ido	**fuimos**	íbamos
vosotros/-as	habéis ido	**fuisteis**	ibais
ellos / ellas	han ido	**fueron**	iban

Para informar de hechos en el pasado...

- relacionados con el presente.
- en la misma unidad de tiempo en la que hablamos.

P. PERFECTO
Hoy **he ido** al colegio a las 8 h.

- no relacionados con el presente.
- en una unidad de tiempo diferente de la actual (en la que hablamos).

P. INDEFINIDO
La semana pasada **fui** al colegio en autobús.

Para describir lo habitual en una época pasada.

PRETÉRITO IMPERFECTO
El curso pasado **iba** a otro colegio.

3. Elige la forma más adecuada.

a. Los egipcios construían / han construido pirámides y eran / han sido grandes científicos.
b. Hoy hablaba / he hablado / hablé con mi amigo Juan Pedro.
c. Mi hermano pequeño nacía / ha nacido / nació el año pasado.
d. Cuando mi madre era / ha sido / fue joven, trabajaba / ha trabajado, pero ahora ya no.
e. Este fin de semana iba / he ido / fui a casa de unos amigos de mis padres.

CONECTAR INFORMACIONES ▶ CE: 9, 10 y 11 (p. 46)

Expresar la causa: **como, porque**
Como he sacado malas notas, no voy de vacaciones.
　　　　　CAUSA
No voy de vacaciones **porque** he sacado malas notas.
　　　　　　　　　　　　CAUSA

Expresar consecuencia: **(y) por eso**
Me gusta mucho nadar **y por eso** me he apuntado a la piscina.

Añadir información: **además, también**
Tenochtitlan era una ciudad que estaba en el centro de un lago.
Además, tenía canales y también agua potable.

Contrastar informaciones: **en cambio, pero**
Mi hermana antes era muy estudiosa; **en cambio** ahora no estudia nada.

Relacionar en el tiempo: **entonces, cuando**
Cuando los pestazos atacaban a sus vecinos, les robaban la comida.
Entonces, había muchos problemas.

4. ¿Puedes poner conectores en estas frases y convertirlas en un solo texto? Hay varias soluciones y un conector que se repite.

porque	pero	cuando	por eso
entonces	como	además	

Yo, el año pasado, al principio de curso no conocía a nadie en el colegio 〰️ era mi primer año allí.
〰️ soy un poco tímida, no hablaba con nadie.
〰️ conocí a Paula.
Yo soy muy callada, 〰️ Paula es muy habladora y tiene muchos amigos.
〰️ conocí a Paula, todo fue más fácil.
Tenía nuevos amigos y me gustaba más el colegio, 〰️ empecé a sacar mejores notas. 〰️ empecé a jugar en el equipo de baloncesto.
〰️ Paula y otras chicas de la clase también juegan al baloncesto y nos lo pasamos muy bien. Ahora estoy muy contenta en mi colegio nuevo.

PUEBLOS Y CULTURAS: LOS ÍBEROS ▶ CE: 1 (p. 50)

Vivían en el este y el sur de la Península Ibérica antes de la llegada de los romanos.

Construían casas de piedra y vivían en pueblos pequeños.

Eran agricultores: cultivaban cereales, frutales, vides y olivos para hacer aceite y vino.

También eran pastores y ganaderos: tenían ovejas y cabras.

Y, además, pescaban en el mar, especialmente atunes (un tipo de pez).

Fabricaban cerámica y tejidos.

Para el comercio, utilizaban monedas de metal.

Sabían leer y escribir. Tenían tres tipos de escritura.

1. Leed cómo vivían los íberos. Escoged dos palabras clave en cada viñeta y cread un "pequeño diccionario para hablar de historia". Lo vais a necesitar para hacer vuestro proyecto.

ENTRE VOCALES

Pista 21

1. Escucha con atención cómo suenan **b**, **d** y **g** en estas palabras. ¿Notas alguna diferencia entre la columna de la izquierda y la de la derecha?

> En posición inicial, las letras **b**, **d** y **g** son sonidos oclusivos, es decir, la salida del aire se interrumpe completamente.
> Cuando las letras **b**, **d** y **g** están entre vocales, en español, el sonido es más suave: no se interrumpe.

ⓐ BAR HABER
ⓑ DOS TODO
ⓒ GAS HAGO

Pista 22

2. Pronuncia estas palabras marcando bien la diferencia. Luego, escucha y comprueba.

BEBO DEDO GALLEGO

Los mayas

La civilización maya se desarrolló a partir del siglo VIII a. C. en un gran territorio que actualmente corresponde a algunos estados del sur de México y a algunos países centroamericanos: Guatemala, Belice, y parte de El Salvador y de Honduras. El pueblo maya dejó muchas huellas de sus actividades económicas, científicas y religiosas.

ACTIVIDADES ECONÓMICAS

La principal actividad económica de los mayas era la agricultura. Cultivaban maíz, frijol, cacao, yuca, algodón, tomate, lino, tabaco y aguacate. El comercio era otra de sus actividades principales. Cuando los mayas querían comprar o vender, utilizaban como moneda granos de cacao, cuentas de jade o conchas marinas.

CIENCIA

Los conocimientos de astronomía estaban muy avanzados: los mayas tenían un calendario muy exacto e incluso podían predecir eclipses. Además, conocían las matemáticas: sabían sumar, restar, multiplicar y dividir. En cambio, la rueda la usaban únicamente como juguete.

RELIGIÓN

La religión dominaba todos los aspectos de la vida maya. Era una religión politeísta, es decir, adoraban a varios dioses a la vez. Los dioses eran los elementos naturales (el agua, el fuego, el aire y la tierra), los fenómenos atmosféricos, los cuerpos celestes, etc. El principal dios maya era Hunab Ku, el creador del mundo y de la humanidad a partir del maíz.

LOS NÚMEROS MAYAS

Para representar gráficamente una cantidad, los mayas usaban tres signos:

| La concha o caracolillo para representar el CERO. | El punto para representar el número UNO. | La barra horizontal para representar el número CINCO. |

Así se escriben y se representan los números mayas del 1 al 10.

| uno | dos | tres | cuatro | cinco |
| seis | siete | ocho | nueve | diez |

¿Y tú? ¿Sabes contar como los mayas? ¿Cuántos frutos de cacao ves en esta rama? Escribe la respuesta en números mayas.

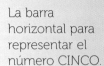

VÍDEO

Granada, otros tiempos

 Granada es una de las ciudades con más historia de España. La fundaron los íberos hace más de 2800 años y en ella vivieron, entre otros pueblos, los romanos, los visigodos, los árabes, los judíos y los cristianos.

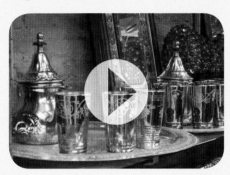

POEMA ▶ CE: 3 (p. 49)

El lobito bueno

Pista 23

Érase una vez
un lobito bueno
al que maltrataban
todos los corderos.

Y había también
un príncipe malo,
una bruja hermosa
y un pirata honrado.

Todas estas cosas
había una vez,
cuando yo soñaba
un mundo al revés.

José Agustín Goytisolo

José Agustín Goytisolo

Fue un poeta español (1928 - 1999). "El lobito bueno" es uno de sus poemas más famosos. Tiene un significado social y político, y fue interpretado por el cantautor Paco Ibáñez. Otro de sus poemas más conocidos, "Palabras para Julia", dedicado a su madre y a su hija, tiene muchas versiones musicales, una de ellas de Joan Manuel Serrat.

UN MUNDO IMAGINARIO
VAMOS A INVENTAR UNA CIVILIZACIÓN Y A PRESENTARLA A LA CLASE EN FORMA DE PÓSTER, DE CÓMIC O VIRTUALMENTE.

¿QUÉ NECESITAMOS?

En papel
- ✔ una o varias cartulinas
- ✔ fotografías recortadas
- ✔ material para escribir, dibujar y pegar

Con ordenador
- ✔ un programa para dibujar (Paint, Paintbrush, SketchBook Express...)
- ✔ fotografías
- ✔ un programa para hacer presentaciones (Power Point, Keynote...)
- ✔ ... y ¡un poco de imaginación!

A. En grupos, inventad una civilización del pasado. Podéis seguir estos pasos:

1. Ponedle un nombre.
2. Inventad el aspecto físico de sus habitantes.
3. Inventad sus costumbres, por ejemplo:
   - qué comían y bebían
   - cómo iban vestidos
   - cómo eran sus casas y pueblos
   - cómo era la escuela
   - cómo eran las familias
   - cómo era su religión
   - cómo era su economía (¿eran agricultores? ¿tenían fábricas?...)
   - cómo era su idioma (podéis inventar algunas palabras de su idioma)
   - cómo era su sistema de escritura (podéis poner una muestra)

B. Elaborad un cartel, un cómic o una presentación digital.

C. Presentad vuestra creación al resto de la clase. Cada miembro del grupo presenta un aspecto distinto de la civilización inventada.

D. ¿Cuál es la civilización más divertida y original de la clase? ¡Votad!

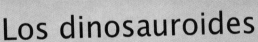

Los dinosauroides

Origen:
- Venían del planeta Urano y sabían viajar por el espacio.

Dónde vivían:
- Sus casas eran cuevas en lugares con muchos árboles.
- No tenían pueblos pero había familias muy grandes (de 25 personas) en cada cueva.
- Estaban agrupados por zonas. Cada zona tenía una cueva principal donde se comunicaban por radio con sus hermanos de Urano.

Tenían cuerpo de humano y cabeza de reptil. Usaban pieles de animales para vestirse.

COMPRENSIÓN LECTORA

1. Lee el texto y di si las frases son verdaderas (V) o falsas (F) y justifica tus respuestas.

LOS INCAS

El imperio de los incas era el más grande de todos los imperios americanos. Su territorio iba desde su capital, Cuzco (Perú) hasta el océano Pacífico y la selva amazónica: casi dos millones de km².
Su lengua oficial era el quechua pero en su territorio se hablaban muchas otras lenguas. Construían ciudades con grandes avenidas y pequeñas calles, que se cruzaban en una plaza central en la que estaban los edificios públicos. Las casas eran bajas, de un solo piso, y estaban hechas de ladrillos de adobe y de paja. En cambio, los grandes monumentos estaban hechos con grandes piedras perfectamente encajadas. El dios principal de su religión era el Sol; por eso le construían muchos templos.

Como eran agricultores muy expertos, su alimentación era muy variada: comían cereales, maíz, pescado, fruta... y uno de sus productos más importantes eran las papas (patatas). Había muchas variedades.

	V	F
a. Los incas tenían un territorio bastante pequeño.		
b. Los incas vivían en América del Sur.		
c. La capital del Imperio inca estaba en el Perú actual.		
d. En el Imperio inca todos hablaban la misma lengua.		
e. Sus casas eran muy altas.		
f. Los incas no sabían cultivar.		
g. Vivían en ciudades.		
h. Sus dioses eran la tierra y los ríos.		
i. Comían siempre lo mismo: papas.		

COMPRENSIÓN ORAL

Pista 24

2. Escucha este diálogo entre una niña y su abuela y responde a las preguntas.

a. ¿Cuál es el tema de la conversación?

b. Señala de qué hablan.
- [ ] de deporte
- [ ] de chicos
- [ ] de chicas
- [ ] de los padres
- [ ] de informática
- [ ] de los uniformes
- [ ] del transporte escolar
- [ ] de los amigos

c. ¿Crees que la abuela tiene buenos recuerdos de su infancia?

EXPRESIÓN ESCRITA

3. Elige una época que conozcas o te guste (la Edad Media, el antiguo Egipto, el Oeste americano...), busca información y explica cómo vivían.

EXPRESIÓN ORAL

4. Presenta a un miembro de tu familia o a un amigo que haya cambiado (en su físico, en su estilo de vestir, en sus gustos, en sus activiades...). Explica cómo era antes y cómo es ahora.

INTERACCIÓN ORAL

5. Imaginad que un habitante del Imperio maya (el compañero A) viaja al futuro. El compañero B puede hablar con él ahora. Pensad algunas preguntas: ¿cómo era su vida?, ¿le gustaba?... Recordad que ya sabéis algunas cosas sobre el comercio, la ciencia y la religión mayas.

unidad 5

¡EN FORMA!

NUESTRO PROYECTO: VAMOS A DISEÑAR UNA CAMPAÑA DE SALUD PARA NUESTRO COLEGIO.

VAMOS A...

leer una entrevista con una bailarina y con una deportista; responder a un test y leer diversas recomendaciones para estar sanos; leer sobre bailes españoles y latinos;

escuchar una conversación entre amigos sobre un deporte; escuchar y realizar unas instrucciones para relajarnos;

escribir sobre los deportes que practicamos; escribir un ejercicio de meditación; crear recomendaciones para estar sanos;

dar consejos sobre salud; presentar una campaña para estar sanos; hablar sobre un deporte que practicamos;

hablar de deportes, bailes y otras actividades físicas; hablar de la salud; pedir y dar consejos para mejorar nuestros hábitos;

ver cómo unos chicos practican distintos deportes de aventura.

VAMOS A APRENDER...

- el verbo **doler**
- **ya no / todavía**
- a expresar estados físicos y emocionales: **estar bien, mal, de pie, sentado**...
- a recomendar y a desaconsejar: **tener que, hay que**
- a hablar de relaciones temporales: **desde, hace, desde hace**
- el imperativo afirmativo
- léxico para hablar de las partes del cuerpo, la salud, los deportes y el movimiento
- la pronunciación de las vocales

Yo hago atletismo desde los siete años.

VICTORIA

Yo sé esquiar, pero no muy bien.

ENRIQUE

Yo juego al baloncesto en el equipo de mi barrio.

MARINA

Yo a veces juego al golf con mi tío.

ANDRÉS

Yo hago judo después del cole.

Yo voy a una escuela de danza dos veces por semana.

OLGA

EDUARDO

Yo siempre juego al fútbol durante el recreo.

JAIME

Hacemos deporte

¿Y tú? ¿Haces deporte? Compara lo que tú haces con lo que hacen estos chicos.

- Yo también juego al baloncesto como Marina, pero en el equipo del colegio.
- Yo no juego nada bien al baloncesto, pero sé esquiar.

1. Yo hago natación ▶ CE: 1 y 2 (p. 53)

A. Estos son los diez deportes más practicados en el mundo. ¿Cuáles crees que son los más populares en tu país? Escribe una lista con un compañero.

¿CUÁNTAS PERSONAS PRACTICAN ESTOS DEPORTES?

 Practican la natación **1500 millones**

 Juegan al baloncesto **400 millones**

 Juegan al béisbol **60 millones**

 Juegan al hockey **3 millones**

 Juegan al fútbol **1002 millones**

 Juegan al tenis **300 millones**

 Juegan al balonmano **18 millones**

 Juegan al rugby **2 millones**

 Juegan al voleibol **998 millones**

 Juegan al bádminton **200 millones**

B. ¿Te interesa o practicas algún deporte que no está en la lista? Busca en el diccionario cómo se llama ese deporte en español.

C. Rubén quiere ir a patinar con sus amigos. Escucha su conversación. ¿Quién es cada personaje en el dibujo?

Pista 25

D. Escribe frases sobre los deportes que practicas y el nivel que tienes. Después coméntalo con tus compañeros.

- Yo juego bastante bien al tenis.
- ○ Yo también juego, pero no muy bien.
- ■ Pues yo no sé jugar. Nunca he jugado.

Rubén

Naroa

Javi

Claudia

El número 1 es Naroa porque dice: "Yo patino muy bien".

¿SABES QUE...?

El **deporte más popular** (que más seguidores tiene) en el mundo hispanohablante es el **fúbtol**. En países como Argentina, Chile, Uruguay, Perú o España es el deporte rey. En cambio, en varios países caribeños como Venezuela, Panamá, Nicaragua, la República Dominicana o Cuba hay una gran afición al **béisbol**.

ME DUELE / ME DUELEN ▶ CE: 3 (p. 54)

Me duele el pie / la mano / la espalda / ...

Me duelen los pies / las manos / las piernas / ...

👁 *Me duele mi pie.*

YA NO / TODAVÍA ▶ CE: 9 (p. 58)

*Yo antes tocaba el violín, pero **ya no** lo toco.*

ANTES

AHORA

*Yo empecé de muy pequeño a tocar la guitarra y **todavía** la toco.*

ANTES   AHORA

2. Mi vida es el baile ▶ CE: 5 (p. 55), 1 (p. 63)

 A. ¿Cómo imagináis la vida cotidiana de un bailarín o bailarina? Completa este mapa conceptual.

B. Lee ahora esta entrevista a Paula, una chica que quiere ser bailarina. Luego, responde a las preguntas y justifica tus respuestas.

- ¿Cómo es su carácter?
- ¿Lleva una vida sana?
- ¿Está muy ocupada?
- ¿Le gusta lo que hace?

C. Y tú, ¿practicas o has practicado alguna actividad artística o deportiva? Escribe tu experiencia.

- ¿Cuándo empezaste?
- ¿Todavía la haces o la has dejado?
- ¿Cuál es tu sueño?

Yo empecé a hacer kárate a los cuatro años y todavía voy a la misma escuela. Desde los 8 años hago campeonatos. ¡Este año he ganado uno!

P: ¿Por qué empezaste a bailar?
R: Porque de pequeña mi madre me llevó a clases de danza clásica y flamenco. Luego yo dejé estos estilos pero decidí continuar con otros.

P: ¿A qué edad empezaste?
R: He bailado siempre, pero más en serio desde hace seis años.

P: ¿Cuándo y dónde entrenas?
R: Dos veces por semana entreno con el equipo de la escuela y tres veces, en una escuela de baile.

P: ¿Cuántas horas crees que bailas en total por semana?
R: Unas diez horas aproximadamente.

P: ¿Qué tipos de baile son tus preferidos?
R: El *hip hop* porque es muy chulo y la danza contemporánea porque se pueden expresar muy bien las emociones.

P: Además del baile, ¿qué otros deportes practicas?
R: Me encanta el deporte, pero ahora ya no practico ninguno más porque el baile y la escuela consumen todo mi tiempo libre. Antes jugaba al fútbol y estaba en el equipo de atletismo.

P: ¿Qué haces para cuidar tu cuerpo?
R: Pues antes de bailar siempre hago ejercicios de calentamiento, sobre todo con las piernas, los brazos y los pies. Además, siempre bebo mucha agua e intento comer lo más sano posible.

P: ¿Has tenido problemas físicos?
R: Tengo que tener cuidado con la postura, sobre todo con el ordenador, porque si no, me duele la espalda. Y hace un año me rompí el brazo y todavía me duele a veces.

P: ¿Cuál es tu sueño?
R: Quiero tener un día mi propia escuela de baile, pero antes voy a ir a la universidad a estudiar coreografía.

DESDE HACE / DESDE

Andrés empezó a tocar el violín a los ocho años. ➜ *Lo dejó el año pasado.*

ANDRÉS
a los 8 años ——— ahora

*Julia hace atletismo **desde hace** cinco años.* ➜ *Ahora **sigue haciendo** atletismo.*
*Julia hace atletismo **desde** los siete años.*

JULIA
a los 7 años ——— ahora

MINIPROYECTO

En parejas realizad una entrevista a un/-a deportista o bailarín/-a imaginario. Si queréis, podéis grabarla y publicarla en el blog o el Facebook de la clase.

3. Hay que cuidarse ▶ CE: 7 (p. 56), 8 (p. 57)

 A. ¿Crees que llevas una vida sana? Completa este test.

Test: ¿Llevas una vida sana?

1. ¿Cuántos vasos de agua bebes al día?
☐ a. Ninguno, solo bebo refrescos.
☐ b. Entre tres y ocho.
☐ c. Menos de dos.

2. ¿Cuántas veces por semana consumes comida rápida?
☐ a. Tres o cuatro veces por semana.
☐ b. Una vez por semana.
☐ c. Una vez al mes o menos.

3. ¿Con qué frecuencia practicas deporte o actividades físicas?
☐ a. Nunca.
☐ b. Una o dos veces por semana.
☐ c. Solo algunos fines de semana.

4. ¿Cuántas horas al día estás sentado o sentada frente a una pantalla (ordenador, televisión, consola, etc.)?
☐ a. Siempre que puedo.
☐ b. Menos de dos horas al día.
☐ c. Más de dos horas al día.

5. ¿Cuántas horas duermes cada noche?
☐ a. Menos de siete.
☐ b. Entre ocho y diez.
☐ c. Más de nueve.

6. ¿Realizas alguna técnica de relajación (yoga, meditación, escuchar música con los ojos cerrados...)?
☐ a. Nunca.
☐ b. De vez en cuando.
☐ c. Regularmente.

 B. Ahora, con un compañero leed estas recomendaciones y pensad cuáles son las respuestas del test que corresponden a una vida más sana. Vuestro profesor os lo confirmará. ¿Llevas una vida sana según tus resultados en el test?

Seis recomendaciones para llevar una vida sana

1 Un gran porcentaje del cuerpo es agua. Hay que beber como mínimo un litro de agua al día y preferiblemente dos, sobre todo si se hace deporte.

2 Recuerda que normalmente la "comida rápida" tiene muchas calorías. Comer este tipo de comida regularmente es malo para la salud.

3 El movimiento no solo ayuda a controlar el peso sino que es bueno para combatir el estrés y mantener el equilibrio mental y emocional. Haz deporte dos veces por semana como mínimo.

4 Las pantallas, además de hacernos sedentarios, nos pueden aislar. Controla el tiempo que estás delante de ellas y recuerda: es bueno estar al aire libre y con otras personas.

5 El cuerpo se regenera en los momentos de sueño y el cerebro, en la fase REM. No dormir lo suficiente puede ser muy malo para la salud. Duerme entre ocho y diez horas.

6 Es necesario saber relajarse para combatir los nervios, el estrés y la ansiedad. Medita o haz alguna actividad de relajación regularmente.

ESTAR

estar bien ~~ser bien~~   estar mal ~~ser mal~~

estar cansado/-a   estar nervioso/-a

estar sentado/-a   estar tumbado/-a

👁 Con participios (**-ado, -ido**), para describir estados, se usa **estar: estar levantado / tumbado / terminado** / ...

RECOMENDAR Y DESACONSEJAR

RECOMENDACIONES IMPERSONALES		RECOMENDACIONES PERSONALES	
👍 *Hay que* *Es bueno* *Es necesario* *Es recomendable*	*hacer ejercicio físico.*	*Tienes que*	*hacer más ejercicio.* *beber más agua.*
👎 *No hay que* *No es bueno* *Es malo*	*estar todo el día sentado.*	*No tienes que* *beber demasiados refrescos.*	

4. Opiniones de un especialista ▸ CE: 6 (p. 56), 3 (p. 61)

 A. ¿Qué problemas de salud crees que tienen los jóvenes hoy en día? Con un compañero, haced una lista de los más frecuentes.

 B. Lee este artículo. Después, haz una lista con los problemas y las recomendaciones según el doctor. ¿Puedes añadir alguno?

SALUD Y VIDA LAS RECOMENDACIONES DEL DOCTOR KOLLER

¡MUÉVETE POR TU SALUD!

Me dirijo a ti, chico, chica, que tienes entre 12 y 16 años. ¿Te duele la espalda? ¿Estás siempre cansado? ¿Estás triste o nervioso? Lo que te ocurre es que, como la mayoría de chicos de tu edad, estás demasiado tiempo sentado o tumbado frente a una o más pantallas. Además, comes demasiado deprisa, y no siempre cosas sanas. Si estos son tus hábitos puedes tener problemas físicos, de concentración y emocionales. Estas son mis recomendaciones:

Las tres cosas más importantes que puedes hacer son llevar una alimentación sana, hacer actividad física regularmente y también hacer alguna actividad de relajación.

Además, si estás varias horas frente a una pantalla, de vez en cuando tienes que hacer ejercicios con los ojos (mirar hacia arriba, hacia abajo, hacia la izquierda y hacia la derecha), y también mirar a otro sitio, por ejemplo, por la ventana. No hay que estar sentado más de veinte minutos. Hay que levantarse y andar o hacer ejercicios para mover las piernas, la espalda y el cuello.

Recuerda que tienes que abrir la ventana con frecuencia y estudiar con una buena luz y unos muebles adecuados. Los brazos tienen que formar un ángulo de

noventa grados respecto a la mesa y la espalda tiene que estar recta.

No hay que olvidar llevar una dieta equilibrada. Come fruta, verduras y productos lácteos.

Y, por último, te recomiendo hacer ejercicios de respiración y de meditación para aprender a concentrarte y a superar los nervios de los exámenes. En algunas ocasiones, la meditación puede ser tu mejor amiga.

Estas son mis recomendaciones para estar más sano, encontrarte más fuerte y tener energía. ¡Ahora, todo depende de ti!

 C. Escucha estas instrucciones para relajarte. Cierra los ojos y realiza con tu mente lo que dicen.
Pista 26

 D. ¿Te ha gustado este ejercicio? ¿Crees que funciona? En grupos, continuadlo con algunas frases más.

EL IMPERATIVO ▸ CE: 11 (p. 59)
2ª PERSONA DEL SINGULAR

	AND**AR**	COM**ER**	ABR**IR**
(tú)	and**a**	com**e**	abr**e**

Con el imperativo podemos hacer recomendaciones.

*And**a** cada día un rato. Es muy sano.*
*Beb**e** mucha agua. Es mejor que otras bebidas.*
*Abr**e** la ventana para ventilar la habitación.*

APRENDER A APRENDER
Si aprendes un tiempo verbal nuevo, fíjate primero en cómo se usa en los textos donde aparece. Luego, observa e intenta memorizar cómo se forma.

MINIPROYECTO **3**

En pequeños grupos inventad un personaje que tiene un problema físico o de malos hábitos y escribidlo en un papel. Estos papeles se redistribuyen entre los grupos. Cada grupo escribe tres recomendaciones para el problema que les ha tocado.

EL IMPERATIVO

	ESTUDIAR	BEBER	VIVIR
(tú)	estudia	bebe	vive
(usted)	estudie	beba	viva
(vosotros)	estudiad	bebed	vivid
(ustedes)	estudien	beban	vivan

👁 Hay bastantes imperativos irregulares, por ejemplo:

dormir → duerme   recordar → recuerda   venir → ven
poner → pon   hacer → haz   salir → sal

El imperativo se usa:

- para formular recomendaciones: ¡**Descansa**!
- para dar instrucciones: **Pon** *las manos en el suelo*...
- para dar órdenes o formular peticiones, pero solo en situaciones de mucha confianza: **Tráeme** *un vaso de agua, por favor.*
- en fórmulas de cortesía (**perdona/-e, disculpa/-e, mira/-e, pasa/-e, toma/-e**...): **Perdone,** *¿puede decirme qué hora es?*

1. Mira las imágenes y completa las instrucciones del texto en la segunda persona del singular, **tú**. Después, reescríbelas para **vosotros**. Usa estos verbos.

1. correr   **2.** subir   **3.** bajar   **4.** fabricar   **5.** llenar   **6.** colocar
7. saltar   **8.** girar   **9.** levantar   **10.** controlar   **11.** escribir   **12.** beber

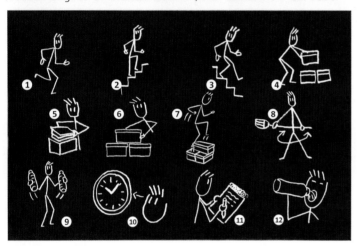

UN GIMNASIO EN CASA
Si no puedes ir al gimnasio, te proponemos unos ejercicios muy simples con aparatos hechos en casa.
...... unos minutos dentro de casa y, si tienes escaleras, ... y ...... dos o tres veces. Si no tienes escaleras, ... tu propio aparato de *steps*: ...... tres cajas de zapatos con revistas y ...... dos juntas y otra encima. ...... sobre ellas cambiando de pie.
Con una escoba en las manos y paralela al suelo, ... la cintura sin moverte de sitio durante dos minutos, hacia la izquierda y hacia la derecha.
Con dos botellas de agua llenas tienes también unas magníficas pesas caseras. ...... los brazos diez veces, con una botella en cada mano.
...... cada día con el reloj cuánto tiempo has entrenado y ...... tus resultados en una libreta.
Y recuerda: ...... un poco de agua antes y después de hacer estos ejercicios.

LA FRECUENCIA ▶ CE: 10 (p. 58), 12 (p. 59)

➕ Yo **siempre** como mucha fruta y verdura.
Todos los días voy en bicicleta.
Juego al tenis (muy) **a menudo**.
Dos veces por semana voy a bailar.
A veces voy a nadar.
De vez en cuando salgo a correr.
➖ **Nunca** hago deporte. = **No** hago **nunca** deporte.

RECOMENDACIONES Y CONSEJOS

Hay	que	+	infinitivo
No hay			
Tienes	que	+	infinitivo
No tienes			

(No) **Es** bueno / malo / recomendable / buena idea / ... + infinitivo

Es recomendable *hacer ejercicios de relajación de vez en cuando.*

2. ¿Con qué frecuencia haces estas cosas?

- Hacer los deberes
- Ir a correr
- Leer novelas u otro tipo de libros
- Cocinar
- Ir en bicicleta
- Ir al gimnasio
- Ordenar la habitación

3. Completa estas recomendaciones para estar bien preparado en los exámenes.

a. ...... comer mucho antes de entrar a un examen.
b. ...... llevar ropa cómoda el día del examen.
c. ...... llevar solo un bolígrafo.
d. ...... tener una actitud optimista.
e. ...... controlar bien el tiempo.
f. ...... dejar respuestas sin contestar.
g. ...... entregar el examen sin repasarlo todo al final.
h. ...... estudiar la noche anterior hasta muy tarde.
i. ...... leer todo el examen antes de empezar a escribir.

EL CUERPO HUMANO ▶ CE: 4 (p. 54)

1. Ahora ya conoces algunas formas de memorizar palabras. Trata de aprender los nombres de estas partes del cuerpo. Puedes añadir otras que ya sabes al dibujo.

2. Ahora, en parejas, comprobáis si las recordáis. Uno de los dos dice una parte del cuerpo y el otro la señala.

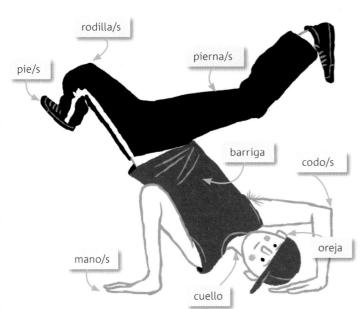
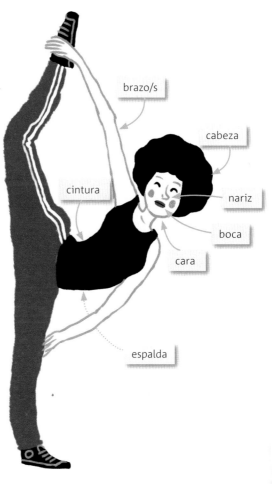

rodilla/s

pierna/s

pie/s

barriga

codo/s

mano/s

oreja

cuello

brazo/s

cabeza

cintura

nariz

boca

cara

espalda

LAS VOCALES

En español hay cinco sonidos vocálicos puros: /a/ /e/ /i/ /o/ /u/. No existen vocales largas o cortas. Todas tienen la misma duración y tampoco se diptongan, se relajan o cambian si van seguidas de una consonante en particular.

1. Escucha estas palabras e intenta pronunciarlas inmediatamente después. Hay una pausa para tu pronunciación.

Pista 27

2. ¿Sabes cuántos sonidos vocálicos hay en tu lengua? Compáralos con el español.

3. Hay muchas palabras en español que contienen las cinco vocales. Practica con ellas.

Pista 28

ⓐ AUTÉNTICO **ⓑ EDUCACIÓN**

ⓒ ENTUSIASMO **ⓓ SIMULTÁNEO**

ⓔ SUPERLATIVO **ⓕ MURCIÉLAGO**

ⓖ EUSTAQUIO **ⓗ EULOGIA**

¡A bailar!

▶ CE: 1 (p. 60), 2 (p. 61)

Los ritmos latinoamericanos y españoles son muy populares en todo el mundo. Estilos como la salsa, el merengue, el tango, el flamenco, la cumbia, el vallenato o las rancheras suenan en muchísimas fiestas. Y es que son muy alegres, y al escucharlos... tienes que bailar.

Celia Cruz, nacida en Cuba, es una de las cantantes que más ha ayudado a popularizar la salsa en todo el mundo.

Salsa

El origen de la salsa es muy discutido porque es una fusión bastante libre de muchos estilos. Nació en la década de 1960 en Nueva York. Mezcla elementos de la música afrocubana con distintos ritmos caribeños y con el jazz. En los años 70 y 80 se hizo muy popular por todo el mundo. Algunos de los músicos más importantes en el mundo de la salsa son Celia Cruz, Ray Barreto, Tito Puente... Rubén Blades y Willie Colón son el autor e intérprete de *Pedro Navaja*, una de las canciones más famosas de la salsa.

❝ La salsa son todos los ritmos cubanos bajo un único nombre. ❞

Celia Cruz

Flamenco

El flamenco es un estilo español de canto, música y danza que se originó en Andalucía. No se conocen con exactitud sus orígenes, pero es seguro que es el fruto del mestizaje cultural entre musulmanes, gitanos, castellanos y judíos. Durante muchos años se tocaba y se bailaba en secreto hasta que se dio a conocer en fiestas privadas. Uno de los cantaores más reconocidos de la historia del flamenco es Camarón de la Isla. Paco de Lucía es el guitarrista flamenco más famoso y Carmen Amaya está considerada la mejor bailaora de todos los tiempos.

En noviembre de 2010 la UNESCO declaró al flamenco patrimonio cultural inmaterial de la humanidad.

Carmen Amaya en el Somorrostro, el barrio en el que nació en Barcelona, durante el rodaje de la película *Los tarantos* (1963).

Tango

El tango es un género musical nacido en Argentina, en el siglo XIX, de la fusión cultural entre los nativos de esa tierra, los descendientes de esclavos africanos y los emigrantes europeos. Permaneció durante muchos años como un baile marginal. Se hizo popular en París y de ahí llegó al resto del mundo. Su instrumento más característico es el bandoneón. Pero no solamente hay música y baile: hay también canciones que suelen narrar una triste y dura historia de amor. Carlos Gardel y Astor Piazzola (cantante y compositor) son dos de los nombres más representativos del tango.

Carlos Gardel fue el cantante de tango más importante de la primera mitad del siglo XX. También fue compositor y actor.

Merengue

El merengue es un estilo musical caribeño originario de la República Dominicana. Suele interpretarse con acordeones, tamboras y güiros, entre otros instrumentos, y es muy fácil de bailar. Como otros estilos, ha evolucionado mucho desde su nacimiento. *Ojalá que llueva café en el campo*, de Juan Luis Guerra, es uno de los merengues más conocidos.

Juan Luis Guerra durante una actuación en los premios Grammy Latinos (2012).

La cumbia y el vallenato colombianos, el son cubano o el reggaetón, más moderno, son otros estilos 100 % latinos.

VÍDEO

Deportes de aventura

 En el Pirineo aragonés hay ríos, lagos, barrancos y montañas que permiten hacer todo tipo de actividades deportivas. Un grupo de chicos visita un centro de deportes de aventura dispuestos a vivir emociones fuertes y a pasarlo genial.

Eneko
Monitor de rafting

CANCIÓN

 ## Sal a la calle

Pista 29

¿Estás cansado o triste?
¿No sabes qué hacer?
¿Harto de estar tumbado
con la tele o en internet?

Sal a la calle,
salta, corre, respira...
¡Mira, mira, mira,
que es muy bonita la vida!

¿Te duele el corazón;
estás sin energía?
¿Aburrido, deprimido,
y harto de la vida?

Sal a la calle,
salta, corre, respira...
¡Mira, mira, mira,
que es muy bonita la vida!

¿Nervioso o agotado,
triste o malhumorado?
¡Llevas mil horas sentado
con un ratón en la mano!

Sal a la calle,
salta, corre, respira...
¡Mira, mira, mira,
que es muy bonita la vida!

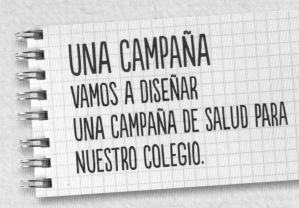

UNA CAMPAÑA
VAMOS A DISEÑAR UNA CAMPAÑA DE SALUD PARA NUESTRO COLEGIO.

A. Antes de empezar, buscad información y ejemplos en internet. Hay muchas campañas de este tipo en español.

B. Formad grupos de cuatro o cinco personas y pensad ideas para realizar vuestra campaña. Tenéis que crear:

- un cartel, folleto o presentación digital
- un logotipo
- algunos elementos complementarios como, por ejemplo, camisetas, chapas...
- un anuncio de radio o de un vídeo (podéis hacer el guión y representarlo en clase, o bien grabarlo)
- una encuesta con cinco preguntas sobre la vida sana

C. Cuando terminéis, presentad la campaña al resto de la clase con la ayuda de los carteles o de los medios audiovisuales escogidos.

¿QUÉ NECESITAMOS?

En papel
- ✔ fotografías y / o dibujos
- ✔ una cartulina grande o varias
- ✔ rotuladores, tijeras y pegamento

Con ordenador
- ✔ fotografías o dibujos digitales
- ✔ un programa para hacer presentaciones (Power Point, Keynote...)
- ✔ un proyector en clase

Con cámara y proyector
- ✔ un móvil o cámara
- ✔ un proyector en clase

COMPRENSIÓN LECTORA

1. Lee esta entrevista y responde a las preguntas.

a. ¿Cuántas horas entrena Marga al día?
b. ¿Qué entrenamiento hacen fuera de la piscina?
c. ¿Qué dos aptitudes son importantes para hacer natación sincronizada?
d. ¿Quién crea las coreografías?

diariodemallorca.es
LA ALMUDAINA/CORREO DE MALLORCA

| Palma 10º / 6º | Maó 8º / 6º | Eivissa 8º / 4º |

DEPORTES | ECONOMÍA | OPINIÓN | OCIO | VIDA Y ESTILO ¡Nuevo! | PARTICIPACIÓN | SERVICIOS

ENTREVISTA-CHAT

Entrevista a Marga Crespí, miembro de la selección española de natación sincronizada

¿Cuántas horas entrena una nadadora de sincronizada? ¿Y cuál es la rutina de entrenamientos?
En el centro de alto rendimiento entrenamos unas ocho horas al día. Normalmente empezamos a las nueve de la mañana, hacemos ejercicios de calentamiento y gimnasia antes de ir al agua. Por la tarde solo practicamos dentro de la piscina. Terminamos sobre las seis.

¿Cuáles son las aptitudes que debe tener una persona para poder dedicarse a la natación sincronizada?
Saber nadar muy bien y también se necesita flexibilidad.

Es increíble lo que hacéis en el agua. ¿Quién y cómo crea las coreografías y cómo las preparáis?
Pues las coreografías las hacemos nosotras mismas. Con la música improvisamos y la entrenadora decide lo que más le gusta. Entonces hacemos secuencias de movimientos para montar la rutina entera. Después la practicamos muchas veces para ver si realmente es posible o si nos quedamos sin oxígeno.

¿Qué sientes los segundos antes de subirte a un podio para recoger una medalla?
Es una sensación fantástica.

Fuente: http://comunidad.diariodemallorca.es, 16 de agosto de 2010

COMPRENSIÓN ORAL
Pista 30

2. Una madre le hace recomendaciones a su hijo mientras estudia. Escucha y escribe cuáles son y las tres recomendaciones que da la madre y a qué problemas corresponden.

LAS RECOMENDACIONES	LOS PROBLEMAS

EXPRESIÓN ORAL

3. Escoge un deporte o una actividad que te guste mucho. ¿Cómo empezaste? ¿Desde cuándo lo haces? ¿Con qué frecuencia? ¿Con quién? ¿Dónde? ¿Eres bueno o buena? Tienes un minuto para explicarlo.

INTERACCIÓN ORAL

4. Hazle cinco preguntas a un compañero para averiguar si lleva una vida sana. Dale algunos consejos para mejorar.

EXPRESIÓN ESCRITA

5. Lee estos comentarios de un foro y escribe respuestas con recomendaciones para los problemas.

Güero_mx
Monterrey

Cuando hago los deberes, siempre me duele la espalda y muchas veces la cabeza. No sé qué hacer. ¿Alguna idea?

Lea-2003
Viña del Mar

Llega el verano y veo que he engordado unos cuantos kilos. No quiero hacer una de esas dietas extrañas. ¿Qué puedo hacer?

TurbiZ
San José

Últimamente duermo muy mal. No sé si es porque juego con el ordenador hasta tarde pero me cuesta dormirme y por la mañana me duele la cabeza.

unidad 6

¡HOY ES FIESTA!

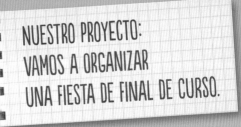

NUESTRO PROYECTO:
VAMOS A ORGANIZAR
UNA FIESTA DE FINAL DE CURSO.

VAMOS A...

leer carteles que anuncian actividades de ocio, mensajes donde se proponen y se aceptan y rechazan planes, diversos artículos de revista sobre comida, la carta y el menú de un restaurante y un relato;

escuchar una conversación sobre planes de fin de semana y distintas conversaciones en bares y restaurantes;

escribir mensajes para proponer planes, el menú de un bar y una invitación a nuestra fiesta de cumpleaños;

hablar de cosas que se comen en nuestro país y explicar cómo es nuestro desayuno;

hablar de planes que nos gustaría realizar un fin de semana y acordar uno con un compañero;

ver cómo se preparan distintos platos para una fiesta.

VAMOS A APRENDER...

- los nombres contables y no contables;
- la combinación del verbo **ir** con varias preposiciones;
- el imperativo afirmativo con pronombres;
- a proponer planes: **¿Quieres...?**, **¿Te apuntas...?**;
- a aceptar y rechazar planes y a excusarse: **¡Vale!**, **Lo siento, no puedo...**;
- a pedir y a pagar en bares y restaurantes: **Yo, de primero quiero...**, **¿Cuánto es?**;
- léxico para hablar de comida;
- la identificación y la pronunciación de sílabas tónicas.

LA ECOPIZZA
LAS MEJORES PIZZAS CON PRODUCTOS NATURALES
SIN CONSERVANTES • SIN COLORANTES

TAN RICAS Y TAN SANAS COMO HECHAS EN CASA

MENÚ PARA 1

8 euros

Pizza pequeña de queso y verduras
+ una bebida: agua o zumo natural + 1 helado

MENÚ PARA 2
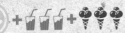

12 euros

Pizza mediana de jamón y queso
+ 2 bebidas: agua o zumos + 2 yogures

MENÚ PARA 3

14 euros

Pizza familiar de jamón, queso y verduras
+ 3 bebidas: agua o zumos + 3 helados

SI SIEMPRE HAS QUERIDO SER UNA ESTRELLA, ¡ESTA ES TU OPORTUNIDAD!

CONCURSO DE ARTISTAS JÓVENES: MÚSICA, TEATRO, DANZA Y CIRCO

Te esperamos el 12 de mayo a las 17 h.
Teatro Municipal Miguel de Cervantes

Inscripción:
www.nuevasestrellas.gentejoven

MUESTRA DE VIDEOJUEGOS RETRO

EXPOSICIÓN, CHARLAS, CONCURSOS, COMPRA-VENTA

¡Vende tus juegos y tu vieja consola!

¡Compra juegos de segunda mano a precios increíbles!

SÁBADO 12 DE MAYO, DE 12 A 21

CURSO DE MAQUILLAJE CORPORAL

INSCRIPCIÓN 5 euros

Todos los sábados a partir de las 16 h.

Clases teóricas y prácticas de maquillaje para jóvenes actores

LA SALA DE TEATRO

12 Y 13 DE MAYO — PALACIO DE FERIAS
SALÓN DEL MANGA

EXPOSICIÓN, VENTA E INTERCAMBIO
¿QUIERES SER DIBUJANTE? ¡APÚNTATE A NUESTRO **TALLER DE MANGA!**

ENTRADA GRATUITA

Planes para el fin de semana

Mei está haciendo planes para el fin de semana y ha encontrado las actividades de los carteles. Míralos y responde a las preguntas.

¿Qué puede hacer si quiere...
1. vender sus viejos videojuegos?
   Puede ir a ......

2. aprender algo útil para su grupo de teatro?
   Puede ir a ......

3. aprender a dibujar cómics?
   Puede ir a ......

4. cantar y participar en un concurso?
   Puede ir a ......

5. ir a comer algo con sus amigos?
   Puede ir a ......

1. ¿Vienes? ▶ CE: 3 (p. 66), 4 (p. 67), 6 (p. 68), 2 (p. 74), 2 (p. 75)

A. Es sábado por la tarde. Carol recibe propuestas de planes de sus amigos. ¿A qué imagen corresponde cada propuesta?

Víctor: 16:03 ✓✓
¿Qué haces? ¿Quedamos? Podemos ir a ver *Batman 7*.

Moisés: 18:03 ✓✓
Estoy con Iván. ¿Tienes ganas de ir a tomar algo o a comer una hamburguesa?

Nacho: 17:15 ✓✓
Voy a jugar al baloncesto un rato a la plaza. ¿Quieres venir?

Elsa: 17:21 ✓✓
Me gustaría ir al centro a comprarme una camiseta. ¿Te vienes?

Lucas: 17:47 ✓✓
He quedado con Tomás para ir a su casa. ¡Tiene un juego nuevo! ¿Te apuntas? 😊

Iker: 18:20 ✓✓
Tengo que cuidar de mi hermano pequeño y no puedo salir de casa. ¿Vienes a verme? Podemos hacer los deberes de Mates y ver una película.

Helena: 18:33 ✓✓
Voy con mi prima Laila a dar un paseo por el parque y a tomar un helado. ¿Te apetece venir? 😊

TIEMPO LIBRE

ir de compras

ir a tomar algo

quedarse en casa

quedar con amigos para ir al cine

IR Y SUS PREPOSICIONES

ir	
	de compras / viaje / excursión / ...
	al cine / un museo / un bar / ...
	a casa de un amigo / de mi tía / ...
	a jugar al fútbol / tomar algo / ...
	en metro / autobús / tren / ...
	a pie
	con Pilar / Elías / mi hermana / ...

Pista 31

B. Escucha la conversación de Carol con su padre. ¿Qué crees que ha decidido hacer este fin de semana? ¿Con quién?

C. Lee las respuestas de Carol a los mensajes anteriores y piensa para quién puede ser cada una.

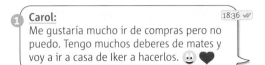

El mensaje número 3 puede ser para Nacho, porque...

APRENDER A APRENDER

Antes de escuchar, piensa **qué información necesitas** averiguar y concéntrate en ello. No te preocupes si no entiendes todas las palabras.

1 **Carol:** 18:36 ✓
Me gustaría mucho ir de compras pero no puedo. Tengo muchos deberes de mates y voy a ir a casa de Iker a hacerlos. 😊 🖤

2 **Carol:** 18:38 ✓
No puedo hacer deporte. ¡Me duele la rodilla! Otro día. 😔

3 **Carol:** 18:40 ✓
Uffff... Hoy no tengo ganas de ir al cine. ¿Qué tal mañana?

4 **Carol:** 18:49 ✓
Ya sabes que a mí no me gusta mucho jugar a la consola... 😐

5 **Carol:** 19:00 ✓
No me apetece mucho salir pero... ¿Hasta qué hora vais a estar en el parque?

6 **Carol:** 18:45 ✓
Lo siento, no puedo ir con vosotros. Tengo muchos deberes. 😵

7 **Carol:** 18:30 ✓
¡Vale, perfecto! Mi padre me deja ir a tu casa. ¿A qué hora quedamos? 😊

D. ¿Y a ti? ¿Qué te gustaría hacer este fin de semana? Explícaselo a un compañero.

Este fin de semana me gustaría...
porque quiero... / con...

| ir de compras | ir al cine | quedarme en casa |

| ir a casa de un/a amigo/-a | ir a tomar algo |

| hacer deporte | quedar con mis amigos/-as | ... |

¿SABES QUE...?

En general, en España y en muchos países de América Latina, para **rechazar una invitación** no es suficiente con decir que no podemos o no queremos hacer algo. Lo más habitual es dar alguna **explicación** o **excusa**.

PROPONER UN PLAN, INVITAR

*¿**Quieres** ir de compras?*
*¿**Tienes ganas de** ir a tomar algo?*
***Podemos** ir al cine o a tomar algo.*
*Vamos al cine. ¿**Vienes**?*
*¿**Te apuntas**?*
*¿**Te gustaría** venir de excursión el sábado?*

ACEPTAR, RECHAZAR Y EXCUSARSE

😃 ● *¿Vienes al parque a jugar al baloncesto?*
○ *Vale, perfecto. ¿A qué hora quedamos?*
○ *¡Sí, claro! ¿Cómo quedamos?*

😔 ● *¿Te apetece ir a patinar esta tarde?*
○ ***Lo siento, no puedo. Tengo que** estudiar.*
○ ***Me gustaría, pero tengo que** ir a casa de mi abuela.*
○ ***No, gracias**, hoy **no tengo ganas de** hacer deporte.*

MINIPROYECTO

¿VIENES AL CENTRO A TOMAR ALGO?

¿Qué se puede hacer el fin de semana en vuestra ciudad? Haz una propuesta a tus compañeros de clase en un papelito, como si fuera un mensaje de móvil o en una red social. Después, intercambiáis los mensajes y cada uno responde al que le ha tocado, aceptando o rechazando la propuesta.

2. ¿Bocadillos? Depende... ▶ CE: 1 (p. 74)

 A. ¿Crees que es sano comer bocadillos? ¿Por qué?

 B. Lee este artículo. ¿Estás de acuerdo con lo que dice?

COMIDA RÁPIDA, PERO RICA Y SANA

En la sociedad actual, todos tenemos poco tiempo. Y uno de los problemas es la alimentación. No tenemos tiempo para comprar y cocinar tranquilamente en casa. La consecuencia es que comemos cualquier cosa, de pie, muchas veces un bocadillo. Por eso, los bocadillos tienen mala fama y se identifican con la comida rápida, que tantos problemas genera en nuestra dieta actual. Pero... ¿pueden ser sanos los bocadillos o son siempre malos para la salud? La respuesta es fácil: depende. Si están hechos con buenos productos y llevan una cantidad equilibrada de fécula, proteínas y vegetales pueden ser parte de una dieta sana. Aquí tienes algunos consejos para comer bocadillos sanos y ricos. Pero ojo: ¡no solo tienes que comer bocadillos! Combínalos con otros platos.

CONSEJOS PARA COMER SANO

- Hazlos solo con ingredientes naturales.
- Añade aceite de oliva y no salsas artificiales.
- Prepáralos con alguna verdura: lechuga, tomate...
- Consúmelos poco tiempo después de prepararlos.

LOS MÁS CLÁSICOS

En España se comen muchos bocadillos. Para desayunar, en el colegio o en el trabajo, al mediodía, si no hay tiempo para más, a media tarde, para merendar o para cenar, en casa o fuera.

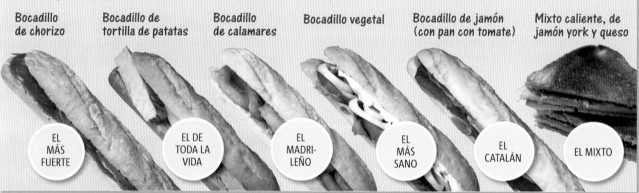

Bocadillo de chorizo — EL MÁS FUERTE

Bocadillo de tortilla de patatas — EL DE TODA LA VIDA

Bocadillo de calamares — EL MADRILEÑO

Bocadillo vegetal — EL MÁS SANO

Bocadillo de jamón (con pan con tomate) — EL CATALÁN

Mixto caliente, de jamón york y queso — EL MIXTO

 C. ¿Has probado alguno de estos bocadillos? ¿Cuál? Si no es así, ¿cuál te gustaría probar?

- Yo he probado el de calamares, en Madrid.
- Yo no he probado ninguno. Me gustaría probar el de tortilla.

 D. ¿Qué se come en tu país cuando no hay tiempo para cocinar? ¿También se comen bocadillos? ¿Son iguales que los españoles?

- Pues nosotros también comemos bocadillos pero son diferentes...

NOMBRES CONTABLES Y NO CONTABLES ▶ CE: 7 (p. 69)

NOMBRES NO CONTABLES

 pan

 leche

 agua

arroz

Sin artículo:

¿Quieres **pan**?
¿Tienes **zumo**?

Con artículo determinado:

El **pan** es un alimento muy sano.
El **zumo** de naranja me gusta mucho.

NOMBRES CONTABLES

 **un** bocadillo

 una botella de agua

 un vaso de leche

 un plato de arroz

Con artículo o numeral:

Quiero un **bocadillo** / dos **bocadillos**.
Me gustan los **bocadillos**.

3. Vamos a tomar algo ▶ CE: 8 (p. 69), 10 (p. 70), 2 (p. 73)

Pistas
32-35

A. Jaime y Guillermo van a tomar algo a un bar. ¿A qué dibujos corresponden estas conversaciones? Primero, escúchalas sin leer. Luego, léelas y comprueba.

1
● Tengo hambre.
○ Yo también. ¿Te apetece tomar algo?
● Pues sí. ¿Entramos aquí?
○ Vale.

2
● Perdone, ¿dónde están los servicios?
■ Al fondo, a la izquierda.
● Gracias.

3
■ Hola. ¿Qué os pongo?
● Para mí, dos croquetas y una tapa de tortilla.
○ Y para mí... A ver; una tapa de calamares y... una tapa de tortilla también.
■ ¿Y para beber?
● Yo, un agua.
○ Yo, un zumo de naranja.
■ ¿El agua la quiere con gas o sin?
○ Sin gas, por favor.
● Y pónganos también una bolsa de patatas.

4
● Perdone, ¿cuánto es?
■ Sí, ahora mismo. A ver... Dos croquetas, dos tapas de tortilla, una tapa de calamares... Y para beber, un zumo y un agua... y una bolsa de patatas. Pues son...

B. Imagina que eres el camarero. Apunta qué han tomado y calcula cuánto les va a costar.

Pista 36

C. Escucha la conversación hasta el final y comprueba cuánto han pagado Jaime y Guillermo.

MENÚ

Gazpacho
Paella
Ensalada mixta (lechuga, tomate, zanahoria, aceitunas)
Espagueti con tomate

Pollo con patatas fritas
Hamburguesa con ensalada

Fruta del tiempo
Helado

10,50 €
(incluye pan, bebida y postre)

TAPAS Y RACIONES

	TAPA	RACIÓN
Tortilla de patatas	3 €	5 €
Jamón ibérico	11 €	16 €
Calamares a la romana	5 €	7 €
Croquetas	1 €/unidad	
Patatas chips (bolsa)	2 €	
Agua	1,50 €	
Refrescos (cola, limonada, naranjada)	2 €	

EN BARES Y RESTAURANTES

● Hola. **¿Qué van a tomar?**
○ **Para mí,** un bocadillo de queso.
○ **Yo, | de primero,** ensalada.
de segundo, hamburguesa.
de postre, helado.
para beber, agua.

● **¿Cuánto es?**
○ 10 euros con 50.
● **Tome.**

● **Perdone, ¿los servicios?**

EL IMPERATIVO AFIRMATIVO CON PRONOMBRES ▶ CE: 9 (p. 70)

Con el imperativo, los pronombres forman una sola palabra con el verbo y se colocan detrás.

Con pronombres reflexivos:

*Láva**te** las manos.*

Con pronombres de CD:

*El bocadillo, pon**lo** en la mochila.*

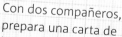
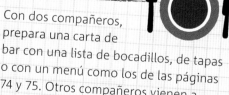

MINIPROYECTO

Con dos compañeros, prepara una carta de bar con una lista de bocadillos, de tapas o con un menú como los de las páginas 74 y 75. Otros compañeros vienen a vuestro restaurante, piden y vosotros tomáis nota. Utilizad el diccionario si os falta vocabulario.

ME GUSTA / ME GUSTARÍA ▶ CE: 2 (p. 65), 3 (p. 66)

EXPRESIÓN DE GUSTOS	EXPRESIÓN DE DESEOS
A mí me gusta mucho nadar.	*Esta tarde me gustaría ir a nadar.*

(A mí)	me	gustaría + infinitivo
(A ti)	te	
(A él / ella)	le	
(A nosotros/-as)	nos	
(A vosotros/-as)	os	
(A ellos / ellas)	les	

👁 La fórmula **Me gustaría... pero...** va muchas veces asociada a la excusa ante una propuesta o invitación.
Me gustaría ir contigo al centro, pero tengo que estudiar.

---

1. Elige entre **gusta / gustaría**.

a. A mí, en verano me (*gusta / gustaría*) ...... ir de vacaciones a la montaña. No me (*gusta / gustaría*) ...... el mar.
b. A mi madre le (*gusta / gustaría*) ...... hacer más deporte pero no tiene tiempo.
c. A mi familia y a mí nos (*gusta / gustaría*) ...... vivir en este barrio; estamos muy bien aquí.
d. ¿Te (*gusta / gustaría*) ...... ir a la montaña el domingo? Podemos organizar una excursión con tus primos.
e. Me (*gusta / gustaría*) ...... aprender a conducir pero no tengo todavía 18 años.

ARTÍCULOS Y NOMBRES

Me gusta el zumo.

● ¿Hay zumo en la nevera?
○ Sí, hay **un** zumo de naranja muy bueno.
○ No, no hay zumo, pero hay leche.

*Perdone, ¿me pone **un** zumo de naranja, por favor?*

👁 **un zumo** = una botella de zumo / un tipo de zumo

---

2. Completa con **el / la / los / las / un / una / unos / unas** o deja las frase sin artículo si no es necesario.

a. ● ¿Qué te gusta más, ... zumo de manzana o ...... de naranja?
   ○ ...... zumo de manzana.
b. Hay que ir al supermercado. No hay ...... pan.
c. ● ¿De qué es la salsa de los espaguetis?
   ○ De ...... carne.
d. En España muchas veces se come ...... pescado para cenar.
e. He comprado ...... bocadillos muy buenos. Son de ...... queso.
f. Póngame ...... cola, dos aguas minerales y ...... bocadillo de tortilla.

QUERER Y PODER

	QUERER	PODER
yo	quiero	puedo
tú	quieres	puedes
él / ella	quiere	puede
nosotros/-as	queremos	podemos
vosotros/-as	queréis	podéis
ellos / ellas	quieren	pueden

USOS DE QUERER

INVITACIÓN O PROPUESTA
*¿**Queréis** jugar con nosotros?*
*¿**Quieres** leche o zumo?*

INTENCIÓN
*El domingo **quiero** ir a correr.*

USOS DE PODER

SUGERENCIA O PROPUESTA
● ¿Qué hacemos?
○ **Podemos** ir a dar una vuelta por el parque, ¿no?

PETICIÓN
● ¿**Puedes** ir a comprar un poco de pan?
○ Vale. ¿Cuántos somos?

PETICIÓN DE PERMISO
● Perdona, ¿**puedo** ir al baño?
○ Sí, claro, allí al fondo a la derecha.

POSIBILIDAD / IMPOSIBILIDAD
*Hoy **no puedo** ir a tu casa. Tengo un examen de música.*

PROHIBICIÓN
*En la biblioteca no se **puede** comer ni beber.*

---

3. Completa las frases usando el verbo **poder**.

a. ● ¿Está prohibido comer en clase?
   ○ Sí, ...
b. ● Me gustaría ver algo interesante en tu ciudad. ¿Qué me recomiendas visitar?
   ○ ......
c. ● ¿Qué hacemos el domingo?
   ○ ......
d. ● ¿Quieres jugar al fútbol?
   ○ No, lo siento, ...
e. ● ¿ ...... ?
   ○ Vale, ahora voy al supermercado.

ALIMENTOS ▶ CE: 11 (p. 71), 1 (p. 74), 1 (p. 75)

APRENDER A APRENDER
El **vocabulario de la comida** es, en todas las culturas, muy amplio. Busca en el **diccionario** o pregunta lo que tú necesitas, te gusta o no puedes tomar.

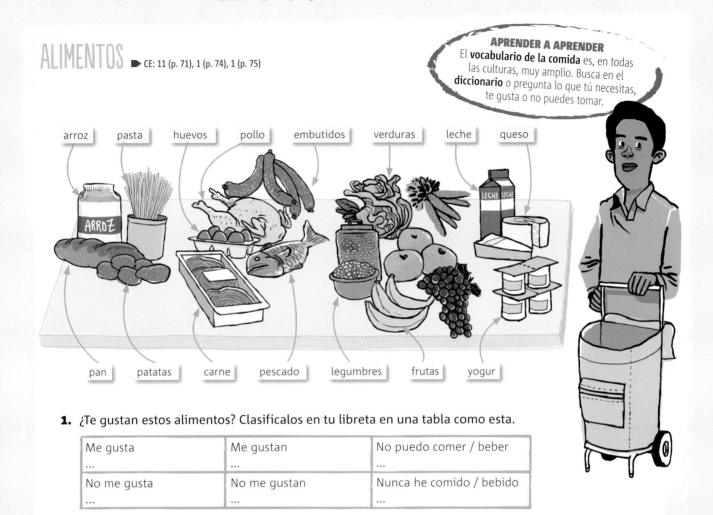

arroz | pasta | huevos | pollo | embutidos | verduras | leche | queso

pan | patatas | carne | pescado | legumbres | frutas | yogur

1. ¿Te gustan estos alimentos? Clasifícalos en tu libreta en una tabla como esta.

Me gusta ...	Me gustan ...	No puedo comer / beber ...
No me gusta ...	No me gustan ...	Nunca he comido / bebido ...

¿Y SI NO SÉ CÓMO SE PRONUNCIA?

Pista 37

1. En algunas palabras sabemos cuál es la sílaba tónica gracias a la tilde. Escucha estas palabras y comprueba si oyes la sílaba tónica.

ⓐ CAFÉ ⓑ MAMÁ ⓒ ÁRBOL ⓓ QUÍMICA

RELOJ
PASTEL
HABLAR

Cuando no hemos oído nunca una palabra, y no lleva tilde, podemos averiguar dónde está la sílaba tónica y cómo se pronuncia a partir de su escritura, mirando las terminaciones.

No llevan tilde y son agudas... ▢▢■
  las palabras que terminan en consonante que no sea **n** o **s**:
  ha-<u>blar</u>   ve-<u>nid</u>   per-<u>diz</u>   re-<u>loj</u>   mun-<u>dial</u>

No llevan tilde y son llanas... ▢■▢
  - las palabras que terminan en vocal:
  <u>Sa</u>-ra   <u>via</u>-je   <u>ta</u>-xi   <u>ha</u>-blo
  - las palabras que terminan en **n** o **s**:
  <u>sa</u>-ben   <u>gra</u>-cias   va-ca-<u>cio</u>-nes

2. ¿Cuál crees que es la sílaba tónica en estas palabras? Intenta pronunciarlas. Luego, escucha y comprueba.
Pista 38

ⓐ TAPIZ ⓑ ALTITUD ⓒ CASTIGAR
ⓓ SALAMANCA ⓔ MONTES ⓕ SEGUID
ⓖ CEREAL ⓗ GUANTE

Comidas del mundo hispano

Empanadas

Se hacen empanadas en muchos lugares del mundo, pero las de Argentina son las más famosas. Una empanada es una masa de harina de trigo que forma una bolsita. Dentro puede haber carne, huevos, aceitunas, verduras, cebolla, especias… Se pueden hornear o freír, y a veces son un poco picantes.

Tapas

Las tapas se toman acompañadas de alguna bebida, normalmente en un bar. Se componen de pequeñas raciones de todo tipo de comida: jamón, tortilla, ensaladilla, calamares, atún, pimientos, mejillones… Con su infinita variedad, las tapas son una parte importante de la cultura gastronómica española.

Arepas

La arepa es un plato hecho de harina de maíz muy popular en Colombia y en Venezuela. A la masa se le da una forma redondeada y se come de muchas maneras: sola o rellena de carne, de queso, etc. Las arepas se pueden hacer al horno, fritas, asadas y hervidas.

Tamales

Los tamales son un plato americano de origen indígena. La palabra *tamal* viene de la palabra náhuatl *tamalli*, que significa "pan envuelto". Consiste en una pasta de harina de maíz mezclada con carne o con fruta. Todo ello se envuelve en hojas de platanero o de maíz, formando un pequeño paquetito, y se cuecen al vapor. Cuando el tamal está cocido, se abre cada paquete y se come lo que hay dentro. Los tamales se consumen en toda Latinoamérica.

VÍDEO

Pinchos para una fiesta

¿Estás organizando una fiesta y no sabes qué hacer para comer? Mira estas recetas y toma nota. ¡Vas a sorprender a todo el mundo!

Tortillas

Hay muchas clases de tortillas. Dos de las más conocidas son las mexicanas y las españolas, pero no se parecen mucho.

En España, la tortilla es un plato hecho a base de huevo batido y cocinado con aceite. Las tortillas se pueden hacer añadiendo patatas, calabacines, cebolla… Se comen frías o calientes.

En México y en muchos países de Latinoamérica, las tortillas son un alimento redondo y plano. Se hacen con una masa de maíz hervido en agua con sal y se cuecen a la plancha sobre una piedra caliente.

CANCIÓN

🎵 Fin de semana

Pista 39

Oye, chico, ¿qué te pasa?
¿Qué haces? ¿Dónde estás?
¡Cómo que en casa
te vas a quedar!

¿Te vienes con nosotros?
Vamos a divertirnos.
El fin de semana
acaba de empezar.
¿Te vienes con nosotros?
Vamos a la ciudad.

Oye, chica, ¿qué te pasa?
¿Qué haces? ¿Dónde estás?
¡Cómo que en casa
te vas a quedar!

¿Te vienes con nosotros?
Vamos a reír y a bailar.
Para pasarlo bien
y el domingo disfrutar
no hace falta mucho:
¡con los amigos estar!

LA FIESTA DE FINAL DE CURSO

VAMOS A ORGANIZAR LA FIESTA DE FINAL DE CURSO Y A ANUNCIARLA.

¿QUÉ NECESITAMOS?

Con las manos
- material para hacer las distintas actividades
- comida, bebida y elementos de decoración

En papel
- cartulinas, rotuladores
- fotografías en papel
- tijeras, pegamento

Con ordenador
- un programa para hacer los carteles (Word, Pages...)
- una impresora
- correos electrónicos de nuestros invitados
- el blog o red social de la clase

 A. Entre todos vamos a decidir qué juegos o actividades preparamos:

- un concurso de karaoke
- un concurso de baile
- un concurso de cocina
- una fiesta de disfraces
- una obra de teatro
- juegos
- una merienda o una cena
- ...

 B. Formad grupos. Cada uno se encarga de una actividad. Decide qué se necesita y prepara un presupuesto y una lista de cosas para comprar y para hacer.

 C. Un grupo más grande puede encargarse de la comunicación de la fiesta. Hay que diseñar y escribir:

- un cartel o folleto para anunciar la fiesta con día, hora y actividades programadas
- mensajes de invitación para otros compañeros y otros profesores
- si tenemos un blog o un grupo en una red social, el anuncio y la invitación con un texto

 D. Finalmente, otro grupo puede encargarse de la decoración, y... ¡A pasarlo bien!

¡Ven a la fiesta de fin de curso!

¿CUÁNDO? Viernes 12 de junio a las 17.30 h

¿DÓNDE? Sala de actos del instituto
(IES Las Canteras. Calle de la Dehesa, Collado Mediano, Madrid)

¿CÓMO? Preparados para:
- el concurso de karaoke (apúntate en la clase de 2B)
- los juegos (trae ropa vieja para ensuciar)
- ¡bailar y pasarlo bien!

COMPRENSIÓN LECTORA

1. Lee este relato sobre el cumpleaños de María y contesta a las preguntas.

El sábado fue el cumpleaños de María y sus amigos le dieron una fiesta sorpresa. Sus mejores amigos se reunieron para repartirse el trabajo. La madre de Diego les dio permiso para hacer la fiesta en el garaje de su casa, pero primero tuvieron que limpiarlo y decorarlo. Marta se encargó de hacer un pastel –de nata, por supuesto– y de ponerle trece velas. Diego y Celia llevaron el resto de la comida y las bebidas: prepararon bocadillos y compraron patatas fritas y refrescos. Luis avisó a todos los otros amigos y también a sus primos a través de mensajes y correos electrónicos. Lucas se encargó de poner buena música para poder bailar y... bueno, finalmente, decidieron el regalo. Entre todos, le compraron unas gafas de sol muy bonitas, pero demasiado caras para comprarlas ella sola. Sofía se encargó de ir al centro comercial y comprarlas. ¡La fiesta fue un éxito! Y también una gran sorpresa para María.

a. ¿Dónde y cuándo fue la fiesta?
b. ¿Qué comieron y bebieron?
c. ¿Qué hicieron?
d. ¿Quiénes fueron los invitados?
e. ¿Cuál fue el regalo?

COMPRENSIÓN ORAL

Pistas 40-43

2. Escucha estos cuatro diálogos y señala qué imagen corresponde a cada uno. Sobra una.

EXPRESIÓN ESCRITA

3. Escribe una invitación de unas cinco líneas a tu fiesta de cumpleaños. Recuerda incluir el lugar, la fecha y la hora y si hay que llevar algo para comer o beber o ir vestido de alguna forma especial.

INTERACCIÓN ORAL

4. Habla con un compañero. Poneos de acuerdo para hacer una actividad conjunta el sábado por la tarde.

EXPRESIÓN ORAL

5. Explica lo que tomas para desayunar y lo que toma otro (u otros) miembro de tu familia. ¿Desayunas igual los fines de semana, cuando tienes más tiempo?

GRAMÁTICA Y COMUNICACIÓN

LETRAS Y SONIDOS

B - V

La **b** y la **v** se pronuncian igual, como **b**ar o **v**i**v**ir. [b]

C - QU - K

La **c** delante de

a		cama
o	se pronuncia como	co**m**er [k]
u		cu**r**so

Qu* delante de

e	se pronuncia como	que**r**er [k]
i		quí**m**ica

* La **u** no se pronuncia.

La **k** es una letra poco frecuente en español. Solo la encontramos en palabras de origen extranjero: **k**amikaze, **k**ilo, **K**uwait. [k]

C - Z

La **c** delante de

e	se pronuncia como	on**ce** [θ]
i		**ci**ta

La **z** delante de

a		**za**pato
o	se pronuncia como	**zo**o [θ]
u		**zu**mo

La **z** al final de sílaba se pronuncia como pa**z**. [θ]

Solo encontramos **ze / zi** en palabras de origen extranjero: **Ze**us, **zi**nc. [θ]

👁 En América Latina, en el sur de España y en Canarias, la **z** se pronuncia siempre como la **s** y el sonido de **ce / ci** no se diferencia del de **se / si**: todas estas combinaciones suenan como **s**.

CH

La **ch** se pronuncia como **Ch**ile. [tʃ]

G - J

La **g** delante de

e	se pronuncia como	**ge**nte [x]
i		**gi**rar

La **j** delante de

a		**ja**món
o	se pronuncia como	**jo**ven [x]
u		**ju**ego

No hay muchas palabras con la combinación **je / ji**: **je**fe, **Je**sús, **je**rez, **ji**rafa. [x]

G - GU

La **g** delante de

a		**ga**to
o	se pronuncia como	**go**rra [g]
u		**gu**apo

Gu* delante de

e	se pronuncia como	**gue**rra [ge]
i		**gui**sar [gi]

* La **u** no se pronuncia.

GÜE - GÜI

Si en una palabra suena la **u**, le ponemos diéresis (**ü**): ver**güe**nza, lin**güí**stica. [gwe], [gwi]

H

La **h** no se pronuncia nunca: **h**ola.

LL - Y

En muchas zonas de América y de España se pronuncian igual **ll** y **y**: **ll**ave [j], **y**a [j], aunque la **ll** también se puede pronunciar [ʎ]. En Argentina, en Uruguay y en algunas zonas vecinas la pronunciación de la **ll** y **y** es muy característica. [ʒ], [ʃ]

Ñ

Se pronuncia como **gn** en francés o italiano: a**ñ**o, ni**ñ**o. Prácticamente nunca está en posición inicial. [ɲ]

R

Entre vocales, la **r** se pronuncia con un sonido débil: ca**r**o, mi**r**ar. [r]
Se pronuncia con un sonido fuerte: al principio de palabra, al final de sílaba, después de **l**, **n**, y cuando se escribe **rr**: **r**oto, co**r**to, al**r**ededor, pe**rr**o. [r̄]

X

Se pronuncia como **cs**: é**x**ito, e**x**amen. [ks]

W

Hay pocas palabras con esta letra en español y todas son de origen extranjero: **w**áter, **w**hisky. Se suele pronunciar como **b**, **u** o **gu**. [bater], [uiski], [ueb]

ACENTOS

En español cada palabra tiene una sílaba fuerte. La sílaba fuerte puede estar en diferentes posiciones.

PALABRAS ESDRÚJULAS ...■□□	
Hay dos sílabas después de la tónica:	**lám**para, te**lé**fono.
PALABRAS LLANAS ...■□	
Hay una sílaba después de la tónica:	**co**me, **li**bro.
PALABRAS AGUDAS ...■	
La sílaba tónica es la última sílaba:	bai**lar**, sa**lió**.

La mayoría de palabras en español son llanas. Algunas palabras se escriben con tilde (acento gráfico) y otras no.

USO DE LA TILDE

PALABRAS ESDRÚJULAS	
Se escriben con tilde siempre:	Mate**má**ticas, infor**má**tica.

PALABRAS LLANAS	
Se escriben con tilde cuando no terminan en vocal, **n** o **s**:	**cár**cel, **Víc**tor.

PALABRAS AGUDAS	
Se escriben con tilde cuando terminan en vocal, **n** o **s**:	ca**fé**, lle**gó**, Ra**món**.

SIGNOS DE INTERROGACIÓN Y DE EXCLAMACIÓN

En español al principio y al final de las preguntas y de las exclamaciones se escriben los siguientes signos:

¿Cómo estás?
¿Cuántos años tienes?

¡Qué bien!
¡Ven! ¡Rápido!

LOS ARTÍCULOS

INDETERMINADOS

SINGULAR	PLURAL
un libro	**una** novela
unos libros	**unas** novelas

DETERMINADOS

SINGULAR	PLURAL
el libro	**la** novela
los libros	**las** novelas

*Tengo **un** libro en español muy interesante.*
*En esta librería hay **unos** cómics argentinos muy buenos.*
*¿Dónde está **el** libro de Matemáticas de Ana?*
*Me gustan **las** novelas policíacas.*

 de + el = **del**
a + el = **al**

*Estoy en la biblioteca **del** colegio.*
*¿Vamos **al** supermercado?*

▶ El artículo indeterminado se usa para mencionar algo por primera vez:

*Tengo **un** amigo que vive en Australia.*

▶ El artículo determinado, en cambio, acompaña a los sustantivos ya identificados por el contexto o ya mencionados:

*¿Dónde está **el** colegio de Laura?*
*Dame **el** periódico de hoy.*
***La** chica rubia es la novia de David.*

👁 Para informar sobre la profesión de alguien, no usamos el artículo:

Mi padre es profesor.
*Mi padre es **un** profesor.*

Pero sí lo usamos para identificar a alguien o para valorarlo profesionalmente:

- *¿Quién era Lope de Vega?*
- ***Un** escritor español.*

*Tomás Suñer es **un** profesor muy bueno.*

SIN ARTÍCULO

▸ Con objetos de los que se suele tener solo uno:

*¿Tienes **móvil** / **coche** / **ordenador** / ...?*

▶ Con sustantivos no contables, para referirnos a cantidades indeterminadas:

*¿Quieres **arroz** o **puré de patatas**?*

▸ Cuando nos referimos a una categoría de cosas o a un elemento concreto:

*En esta tienda tienen **pantalones** muy baratos.*
*¿Hay **plátanos** en la nevera?*

Pero:
*Ayer compré **unos plátanos** muy buenos.*
***Los plátanos** están en la mesa de la cocina.*

LOS NOMBRES: GÉNERO Y NÚMERO

En español hay nombres masculinos y femeninos. No hay nombres neutros.

MASCULINOS	FEMENINOS
el chico	**la** chica
el colegio	**la** clase

RESUMEN GRAMATICAL

El género y el número afectan a las palabras que acompañan al nombre: los artículos, los pronombres y los adjetivos (calificativos, demostrativos y posesivos).

Es **un** puebl**o** muy pequeñ**o**.
Tiene **una** hij**a** muy simpátic**a**.
Est**os** disc**os** son muy buen**os**.
Est**as** bot**as** negr**as** son **las** de Kike.
Laura ha ido al cine con **sus** amig**os**.

Para saber el género de un nombre, podemos fijarnos en el artículo que lo acompaña o en las terminaciones.

PALABRAS MASCULINAS	
Generalmente, son palabras masculinas las que terminan en **-o**, **-aje**, **-or** y **-ma**.	**el** poll**o**, **el** gar**aje**, **el** col**or**, **el** te**ma**

PALABRAS FEMENINAS	
Generalmente, son palabras femeninas las que terminan en **-a**, **-ción**, **-sión**, **-dad**, **-eza** y **-ura**.	**la** cam**a**, **la** ac**ción**, **la** pa**sión**, **la** ver**dad**, **la** natural**eza**, **la** verd**ura**

👁 Los nombres que terminan en **-e** o en consonante pueden ser masculinos o femeninos. Por ejemplo:
   el restaurant**e**
   la nub**e**
   el árbo**l**
   la mie**l**

EL GÉNERO CON LAS PROFESIONES

-O/-A	
un camarer**o**	**una** camarer**a**

SE AÑADE UNA -A PARA FORMAR EL FEMENINO	
un escritor	**una** escritor**a**
un bailarín	**una** bailarin**a**

ÚNICA FORMA PARA EL MASCULINO Y EL FEMENINO	
terminados en **-e**:	**un** / **una** intérpret**e**
en **-ista**:	**un** / **una** period**ista**

VARIAS FORMAS PARA EL FEMENINO	
un juez	**una** juez / juez**a**
un presidente	**una** president**e** / president**a**
un médico	**una** médic**o** / médic**a**

FORMACIÓN DEL PLURAL

VOCAL + -S	
Si un nombre termina en vocal, añadimos **-s**.	idioma - idioma**s**

CONSONANTE + -ES	
Si un nombre termina en consonante, añadimos **-es**.	actor - actor**es**

👁 Las palabras que terminan en **-z**, tienen el plural en **-ces**:
   pez - pe**ces**

ADJETIVOS CALIFICATIVOS

▸ Algunos adjetivos tienen cuatro formas:

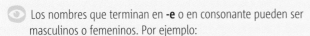

bonit**o** →	bonit**a**	bonit**os** →	bonit**as**
roj**o** →	roj**a**	roj**os** →	roj**as**

▸ Tienen la misma forma para el masculino y el femenino los adjetivos que acaban en **-e** o en consonante:

un chico **inteligente** → una chica **inteligente**
unos chicos **inteligentes** → unas chicas **inteligentes**

un gorro **gris** → una camiseta **gris**
unos gorros **grises** → unas camisetas **grises**

▸ Los adjetivos terminados en consonante (como los nombres) tienen el plural acabado en **-es**:

azul → azul**es**   fácil → fácil**es**

▸ Los adjetivos terminados en **-ista** también son iguales para el femenino y para el masculino:

un hombre optim**ista** → una mujer optim**ista**

▸ Los femeninos de muchos adjetivos de nacionalidad se forman añadiendo una **-a** al masculino:

francés → frances**a**   danés → danes**a**
alemán → aleman**a**   portugués → portugues**a**

▸ Algunos adjetivos de nacionalidad tienen una única forma para el masculino y para el femenino:

terminados en **-ense**: estadounid**ense**, canadi**ense**
terminados en **-í**: iran**í**, marroqu**í**
otras terminaciones: **belga**, **croata**

COLOCACIÓN DEL ADJETIVO CALIFICATIVO

▸ El adjetivo se coloca normalmente detrás del nombre.

un chico **inteligente**
una casa **grande**
~~un **inteligente** chico~~

▸ A veces el adjetivo se sitúa delante para identificar
y no informa de una cualidad:

nuestra **nueva** vecina (sabemos que tenemos una vecina nueva)
el **nuevo** profesor de inglés (sabemos que tenemos un profesor
nuevo)

▸ **Grande**, **bueno**, **malo** se convierten en **gran**, **buen** y **mal**
delante de un nombre:

*Paula está en un **mal** momento.*
*Pancho Torres es un **buen** médico, ¿no?*

👁 Nunca van delante del nombre los adjetivos de color, forma
y origen:

~~un **blanco** coche~~
~~un **inglés** libro~~
~~una **redonda** mesa~~

A veces, cuando el adjetivo va delante cambia el significado:

un **gran** amigo (= un muy buen amigo)
un amigo **grande** (= un amigo alto)

COMPARATIVOS Y SUPERLATIVOS

CON ADJETIVOS
*Alba es **más alta que** su hermana.*
*Alba es **menos** habladora **que** su hermana.*

▸ **MÁS BUENO/-A, MÁS MALO** → **MEJOR, PEOR**
*Este disco es **mejor** / **peor que** este.*
*Este disco es **el mejor** / **peor de** los tres.*

👁 Para elegir entre cosas distintas: **lo mejor**.

● *¿Qué le regalamos?*
○ *¿Una pulsera o unos pendientes? No sé...*
■ *Lo mejor es una camiseta original.*

▸ **MÁS GRANDE** → **MAYOR**
Para tamaño: *La camiseta verde es **más grande** que la roja.*
Para la edad: *Teo es **mayor** que Tomás y que Juan. Teo es **el mayor**
(de los tres chicos).*

▸ **MÁS PEQUEÑO/-A** → **MENOR**
Para tamaño: *La camiseta roja es **más pequeña** que la verde.*
Para la edad: *Edu es **menor** que David y Paco. Edu es **el menor** (de
los tres chicos).*

CON VERBOS
*Vanessa estudia **más que** Gabriela.*
*Gabriela estudia **menos que** Vanessa.*

*Iván es **el mayor**, pero Roberto es **el más alto**.*

EL MISMO / OTRO

Este año tenemos | **el mismo** colegio.
la misma directora.
los mismos compañeros.
las mismas actividades extraescolares.

Este año tenemos | **otro** profesor.
otra clase.
otros monitores.
otras asignaturas.

GRADATIVOS Y CUANTIFICADORES

CON NOMBRES
Poco, bastante, suficiente, mucho y **demasiado** concuerdan en
género y en número con el sustantivo al que acompañan.

MASCULINO SINGULAR	FEMENINO SINGULAR
poco trabajo	**poca** gente
mucho trabajo	**mucha** gente
demasiado ruido	**demasiada** gente
MASCULINO PLURAL	**FEMENINO PLURAL**
pocos alumnos	**pocas** clases
muchos amigos	**muchas** flores
demasiados coches	**demasiadas** patatas

MASCULINO Y FEMENINO SINGULAR	
bastante trabajo / gente	
suficiente tiempo / comida	

MASCULINO Y FEMENINO PLURAL	
bastantes deberes / amigas	
suficientes colegios / horas de clase	

👁 **un poco de** miel = una pequeña cantidad

CON ADJETIVOS

No... **nada**, **bastante**, **muy** y **demasiado** son invariables cuando van con un adjetivo.

*Esta novela **no** es **nada** interesante.*
*Esta novela es **bastante** interesante.*
*Esta novela es **muy** interesante.*
*Esta novela es **demasiado** difícil.*

👁 **Un poco** solo se combina con cualidades negativas.
   *Es **un poco** aburrido / pesado / difícil...*

CON VERBOS

No... **nada**, **bastante**, **mucho** y **demasiado** son invariables cuando van con un verbo.

*Javi **no** estudia nada.*
Javi estudia | poco.
| bastante.
| mucho.
| demasiado.

👁 *Javi no estudia **lo suficiente**.*

ALGÚN/O/A..., NINGÚN/O/A...

● *¿Hay **algún** chico nuevo este año en tu clase?*
○ *No, **no** hay **ningún** chico nuevo.*
  *No, **no** hay **ninguno**.*

● *¿Hay **alguna** chica nueva?*
○ *No, **no** hay **ninguna** chica nueva.*
  *No, **no** hay **ninguna**.*

*Hay **algunos** chicos nuevos, cuatro o cinco.*
*Hay **algunas** chicas nuevas, cuatro o cinco.*

👁 **algo** = alguna cosa
   *¡Cuidado! ¡Tienes **algo** en el ojo!*
   *Tenemos que comprar **algo** para cenar.*

alguien = alguna persona   **nadie** = ninguna persona

DEMOSTRATIVOS

Para señalar un objeto o a una persona, usamos los demostrativos.

SINGULAR	PLURAL
este	estos
esta	estas

***Este** libro es un poco difícil de entender.*
*¿Quiénes son **estas** señoras de las fotos?*
***Estos** son mis amigos españoles.*
*¿Quieres **estas**?*

Cuando nos referimos a algo cuyo género no está determinado, usamos la forma neutra **esto**:

● *¿Qué es **esto**?*
○ *¿**Esto**? Un regalo para ti.*

POSESIVOS

Para identificar un objeto o a una persona, podemos usar los posesivos.

SINGULAR	
mi gato	**mi** gata
tu hermano	**tu** hermana
su padre	**su** madre
nuestro hijo	**nuestra** hija
vuestro profesor	**vuestra** profesora
su abuelo	**su** abuela

PLURAL	
mis gatos	**mis** gatas
tus hermanos	**tus** hermanas
sus padres	**sus** madres
nuestros hijos	**nuestras** hijas
vuestros profesores	**vuestras** profesoras
sus abuelos	**sus** abuelas

*¿Dónde está **mi** mochila?*
***Mis** padres viven en París.*

Los posesivos concuerdan en género y en número con la cosa poseída.

mi libro	**mis** libros
nuestra habitación	**nuestras** habitaciones

Para informar sobre el propietario de algo usamos la serie:

mío	mía	míos	mías
tuyo	tuya	tuyos	tuyas
suyo	suya	suyos	suyas
nuestro	nuestra	nuestros	nuestras
vuestro	vuestra	vuestros	vuestras
suyo	suya	suyos	suyas

● ¿De quién es esta bolsa? ¿Es de Diana?
○ No, es **mía**.

Con artículos determinados, los posesivos sirven para sustituir a un sustantivo ya mencionado o conocido por el interlocutor gracias al contexto.

el mío	la mía	los míos	las mías
el tuyo	la tuya	los tuyos	las tuyas
el suyo	la suya	los suyos	las suyas
el nuestro	la nuestra	los nuestros	las nuestras
el vuestro	la vuestra	los vuestros	las vuestras
el suyo	la suya	los suyos	las suyas

● ¿Esta es tu chaqueta?
○ No, **la mía** es verde.

👁 No solemos utilizar el posesivo cuando nos referimos a partes del propio cuerpo.
Me duele ~~mi~~ brazo.
Me duele **el** brazo.

¿Te has cortado ~~tu~~ pelo?
¿Te has cortado **el** pelo?

Tampoco solemos usar los posesivos cuando nos referimos a cosas de las cuales se supone que solo poseemos una unidad o que, por el contexto, está muy claro de quién son.

No sé dónde he puesto ~~mi~~ mochila.
No sé dónde he puesto **la** mochila.

LOS PRONOMBRES PERSONALES

PRONOMBRES SUJETO

Los pronombres sujeto son:

yo		
tú		usted
él	ella	
nosotros	nosotras	
vosotros	vosotras	ustedes
ellos	ellas	

Recuerda que, en español, la marca de la persona está en el verbo. Por eso, muchas veces no es necesario el pronombre sujeto.

Estudi**o** español y alemán. (**-o** = yo)
Hemos ido al cine. (**-emos** = nosotros)

Pero, en algunos casos, los pronombres son necesarios.

▸ Cuando hay un contraste de diferentes informaciones sobre diferentes sujetos:
● **Nosotros** estudiamos español. ¿Y **vosotras**?
○ **Yo** estudio francés y **ellas** estudian alemán.

▸ Cuando nos identificamos o identificamos a alguien:
● ¿Laura Hernández, por favor?
○ Soy **yo**.

▸ Cuando hay una posible ambigüedad:
¿Cuántos años tiene **él**? (no **ella**)

TÚ / USTED

Para tratar con formalidad al interlocutor, usamos **usted / ustedes**, que se combinan con los verbos en 3ª persona, como **él / ella** y **ellos / ellas**.

Si eres una persona joven, lo normal es utilizar **usted** o **ustedes** con todos los adultos desconocidos (un camarero, un policía, una persona en la calle...). En el colegio, los chicos y las chicas españoles suelen utilizar **tú** o **vosotros** al dirigirse a los profesores.

Perdone, ¿puede decirme dónde está la calle del Mirlo? (usted)
Profe, ¿hoy nos **vas** a dar las notas de los exámenes? (tú)

👁 En la mayoría de países latinoamericanos no se usa **vosotros**. Solo se usa **ustedes**.

👁 En Argentina, en Uruguay y en algunas otras zonas, en lugar de **tú** se usa **vos**. Además, los tiempos verbales que acompañan al **vos** se conjugan de manera diferente. En algunos casos, la última sílaba se convierte en tónica:

Vos hablás muy bien el español. ¿Lo **estudiás** en el colegio?

PRONOMBRES CON PREPOSICIÓN

Con las preposiciones (**para**, **de**, **a**, **sin**...) usamos los siguientes pronombres:

para	mí
	ti
	él / ella / usted
	nosotros / nosotras
	vosotros / vosotras
	ellos / ellas / ustedes

● Lucas, al teléfono.
○ ¿Es **para mí**?

Un caso especial es la preposición **con**:

conmigo
contigo
con él / ella / usted
con nosotros / nosotras
con vosotros / vosotras
con ellos / ellas / ustedes

● ¿Vienes en coche **conmigo**?
○ No, voy con Belén.

PRONOMBRES DE COMPLEMENTO DIRECTO

El CD (complemento directo) es la cosa o la persona sobre la que se realiza la acción del verbo. Como en muchas lenguas, cuando ya sabemos a qué sustantivo nos referimos, porque queda claro por el contexto, este se sustituye por un pronombre:

SUJETO	CD	
yo	me	
tú	te	
él / ella / usted	lo	la
nosotros / nosotras	nos	
vosotros / vosotras	os	
ellos / ellas / ustedes	los	las

● *¿Dónde pongo estas botellas?*
○ *Pon**las** en la nevera.*

Si el tema principal de la frase es el CD, lo ponemos al principio y añadimos el pronombre correspondiente.

*Las botellas **las** he puesto en la nevera.*

👁 Si el pronombre de CD hace referencia a una persona de género masculino y número singular, se acepta también el uso de **le**.

● *¿Has visto a Julián últimamente?*
○ *Sí, **le** vi el lunes en una fiesta. Estaba con Ana. (= **lo** vi el lunes)*

PRONOMBRES REFLEXIVOS

Algunos verbos, los llamados reflexivos, van siempre con los pronombres **me** / **te** / **se** / **nos** / **os** / **se**. Por ejemplo: **llamarse**, **quedarse**.

me	llamo / quedo / ...
te	
se	
nos	
os	
se	

*Mi mejor amiga **se llama** Carla Suárez.*

Cuando una acción se realiza sobre el propio sujeto, también usamos los verbos reflexivos.

*Yo siempre **me baño** por la noche y, después, mi madre **baña** a mi hermana.*

*Primero, **acuestan** al bebé, a las ocho. Y ellos **se acuestan** más tarde, a las diez.*

Algunos verbos funcionan a veces como reflexivos y a veces no, y tienen significados o usos distintos. Por ejemplo: **ir** / **irse** y **quedar** / **quedarse**.

*Adiós, **me voy**. (= dejo el lugar en el que estoy)*
***Voy** a casa de Tania.*

*He **quedado** con Iván para ir al cine. (= tengo una cita)*
***Me he quedado** en casa todo el día. (= no he salido)*

VERBOS CON LOS PRONOMBRES ME / TE / LE

Bastantes verbos, como **gustar**, **encantar**, **doler** o **interesar**, se combinan siempre con los pronombres de CI.

me	gusta / duele / interesa / ...
te	
le	
nos	
os	
les	

SUJETO GRAMATICAL DEL VERBO

¿Te gustan las carreras de Fórmula 1?

SUJETO GRAMATICAL DEL VERBO

Lola no ha venido porque **le duele** una muela.

PREPOSICIONES

A	**ir a** Sevilla / México / ... **a** las tres de la tarde
CON	ir / estar / vivir / ... **con** Alberto
DE	la mochila **de** Roberto las diez **de** la mañana unos pendientes **de** oro un amigo **de** Eva plátanos **de** Canarias
DE... A	***De** mi casa **a** la escuela voy en metro.*
DESDE... HASTA	*Ha ido **desde** Copenhague **hasta** Sevilla en autostop.*
EN	**en** verano / Navidad / ... ir **en** coche / tren / avión / ... quedarse **en** casa / la ciudad / ... estar **en** casa / Alemania / ...
PARA	un libro **para** mi primo una cosa **para** escribir
POR	viajar **por** España pasar **por** Madrid
CON / SIN	una cámara **con** zoom un ratón **sin** cable

👁 a + el = **al**
*Voy **al** campo.*   *Voy **a la** playa.*

👁 de + el = **del**
*Vengo **del** cine.*   *Vengo **de la** playa.*

Con algunos verbos las preposiciones son obligatorias.

tener ganas **de**	***Tengo ganas de** ver esta película.*
convertirse **en**	***Se ha convertido en** un actor muy famoso.*
dedicarse **a**	*Es una fundación que **se dedica a** cuidar animales abandonados.*
empezar **a**	***Empecé a** estudiar español hace dos años.*
aprender **a**	*Elisa **aprendió a** andar a los nueve meses.*

ORDINALES

el primer día	la primera semana
el segundo	la segunda
el tercer	la tercera
el cuarto	la cuarta
el quinto	la quinta
el sexto	la sexta
el séptimo	la séptima
el octavo	la octava
el noveno	la novena
el décimo	la décima

👁 el primer piso = **el primero**
el tercer piso = **el tercero**

¿QUIÉN VIVE EN EL PRIMER PISO?

EN EL PRIMERO NO VIVE NADIE.

LOS NUMERALES

1	uno/a	16	dieciséis
2	dos	17	diecisiete
3	tres	18	dieciocho
4	cuatro	19	diecinueve
5	cinco	20	veinte
6	seis	21	veintiuno/a
7	siete	22	veintidós
8	ocho	23	veintitrés
9	nueve	24	veinticuatro
10	diez	25	veinticinco
11	once	26	veintiséis
12	doce	27	veintisiete
13	trece	28	veintiocho
14	catorce	29	veintinueve
15	quince		
30	treinta	31	treinta y uno/a
40	cuarenta	42	cuarenta y dos
50	cincuenta	53	cincuenta y tres
60	sesenta	64	sesenta y cuatro
70	setenta	75	setenta y cinco
80	ochenta	86	ochenta y seis
90	noventa	97	noventa y siete
100	cien		
200	doscientos/as		
300	trescientos/as		
400	cuatrocientos/as		
500	quinientos/as		
600	seiscientos/as		
700	setecientos/as		
800	ochocientos/as		
900	novecientos/as		
101	**ciento** un/uno/una		
102	**ciento** dos		
110	**ciento** diez		
120	**ciento** veinte		

1000	**mil**
2000	dos **mil**
10 000	diez **mil**
100 000	cien **mil**
200 000	doscientos/as **mil**
1 000 000	un **millón**
10 000 000	diez **millones**

El número 1 tiene tres formas.

▸ **Un / una** si va antes de un sustantivo masculino o femenino:
*Tiene **un** hermano*
*Tengo **una** hermana.*

▸ **Uno** cuando va solo y se refiere a un sustantivo masculino:
*No te puedo prestar mi lápiz; solo tengo **uno**.*

Hasta el 30, los números se escriben en una sola palabra:
diecinueve, **veintitrés**

👁 La partícula **y** se usa solo entre decenas y unidades:

noventa **y** ocho (98)
trescientos cuatro (304)
doscientos treinta **y** seis mil (236 000)

Cien solo se usa para una centena completa. Si lleva detrás decenas o unidades, se convierte en **ciento**:

cien (100), **cien** mil (100 000)
ciento cinco (105), **ciento** ochenta (180)

Las centenas desde 200 a 999 concuerdan en género con el nombre:

*Cuesta doscient**os** euros.*
*Cuesta doscient**as** libras.*

1000 se dice **mil**. (Pero: **dos mil**, **tres mil**...).

Con los millones se usa **de**:

cuarenta millones **de** habitantes (40 000 000)

Pero no se coloca esta preposición si hay alguna cantidad después del millón:

treinta millones diez habitantes (30 000 010)

👁 En español, un **billón** es un millón de millones.
1 000 000 000 000

INDICADORES ESPACIALES

aquí / **allí**
a mi / tu / su / ... **lado**
arriba / **abajo**
a la **derecha** (de) / a la **izquierda** (de)
cerca (de) / **lejos** (de)

● *Perdone, ¿hay alguna parada de autobús por aquí?*
○ *Sí, hay una **cerca**. Está **allí**, **a la izquierda de**l quiosco.*

● *¿Quién se sienta **a tu lado** en clase?*
○ *Rosa María Gutiérrez.*

en el suelo

debajo de la mochila

encima de la mochila

dentro de la mochila

detrás de la mochila

delante de la mochila

al lado de la mochila

entre la mochila **y** las botas

IMPERSONALIDAD CON SE

*En la República Dominicana **se** juega al béisbol.*
*En España **se** hablan cuatro lenguas oficiales.*

RELATIVAS

Es un país.
Tiene muchas montañas.

*Es un país **que** tiene muchas montañas.*

*Es un país **donde** se habla francés.*
*Es un país **en el que** se habla francés.*
*Es una región **en la que** se cultiva café.*

INTERROGATIVAS

*¿**Quién** es?*
*¿**Quiénes** son?*

*¿**Dónde** están los servicios?*
*¿**Adónde** vas a ir el domingo?*

*¿**Cómo** vas a casa? ¿En autobús?*
*¿**Cómo** se llama el profesor de Mates?*

*¿**Cuánto** cuesta esta bici?*
*¿**Cuánta** tarta quieres? ¿Así?*
*¿**Cuántos** años estuviste en Francia?*
*¿**Cuántas** chicas había en la fiesta?*

*¿**Cuándo** es tu cumpleaños?*

*¿**Por qué** no viniste ayer a clase?*

*¿**Qué** te gusta desayunar? ¿Leche?*

*¿**Cuál** es tu deporte favorito?*
*¿**Cuáles** son tus cantantes preferidos?*

En preguntas con preposición, esta se sitúa antes de la partícula interrogativa.

- *¿**En** qué has venido?*
- ***En** tren.*

- *¿**De** qué es este jersey?*
- ***De** lana.*

- *¿**De** dónde es tu profesor?*
- ***De** Bolivia.*

- *¿**Con** quién vas de vacaciones?*
- ***Con** mis padres.*

MARCADORES TEMPORALES

A los tres años | *empecé a ir al colegio.*
De niño

*Aprendió a leer **de mayor**.*

*En 1999 nos fuimos a vivir a Portugal. **Desde entonces** solo vamos a España en vacaciones.*

*El día 4 **de** mayo es mi cumpleaños.*

*El día 12 **de** octubre **de** 1492 Colón llegó a América.*

En el siglo VIII los árabes llegaron a España.

*Entre 1936 **y** 1939 en España hubo una guerra civil.*

Durante tres años, en España hubo una guerra civil.

LOS VERBOS

PARA HABLAR DEL PRESENTE

PRESENTE
Para hablar de acciones actuales o habituales.

Vivo en Alemania.
Los lunes voy a la piscina.

ESTAR + GERUNDIO
Cuando queremos presentar una acción en su desarrollo:

- *¡Juanma!*
- *Un momento, me **estoy duchando**.*
  *Un momento, me **ducho**.*

PARA HABLAR DEL FUTURO

IR A + INFINITIVO
Para relacionar una acción futura con el momento en el que hablamos o para referirnos a una intención o proyecto.

*Este verano **voy a viajar** por Alemania.*
*Mañana **voy a salir** con Laura.*

PRESENTE
Cuando presentamos la acción futura como el resultado de una decisión.

*Este verano **me quedo** en casa.*
*Este año lo **apruebo** todo. Seguro.*

PARA HABLAR DEL PASADO

Para hablar del pasado, en español podemos usar varios tiempos.
Vamos a aprender su uso poco a poco.

Usamos:		Ejemplo:	Se usa frecuentemente con:
PRETÉRITO PERFECTO	Para hablar del pasado sin informar de cuándo se ha realizado una acción.	● ¿*Has estado* alguna vez en Colombia? ○ No, no *he estado* nunca.	nunca alguna vez
	Para hablar de un pasado que presentamos en relación con el momento presente.	Este verano *he ido* a España. Hoy *he estudiado* mucho. Albert Casals *ha escrito* dos libros (en su vida).	hoy esta mañana, esta tarde... esta semana este mes este año estas vacaciones en su vida (si sigue viviendo)
PRETÉRITO INDEFINIDO	Para situar una acción pasada con una fecha o para situarla en un momento sin relación con el presente.	El verano pasado *fui* a España. El domingo *estudié* mucho. Pablo Picasso *pintó* muchos cuadros (en su vida).	ayer el domingo, el lunes / ... el día 2 / el día de Navidad / ... la semana pasada el mes pasado el año pasado en su vida (si ya no vive)
PRETÉRITO IMPERFECTO	Para hacer descripciones situadas en un tiempo pasado.	Mi abuelo *era* alto y fuerte y *llevaba* una barba blanca.	antes en la época de... de niño/-a / pequeño/-a / joven
	Para describir acciones habituales en el pasado.	Yo antes *iba* todos los días a la piscina a nadar.	antes cuando de vez en cuando

EL IMPERATIVO

FORMAS REGULARES

	COMPRAR	BEBER	VIVIR
(tú)	compra	bebe	vive
(usted)	compre	beba	viva
(vosotros/-as)	comprad	bebed	vivid
(ustedes)	compren	beban	vivan

ALGUNAS FORMAS IRREGULARES

	VENIR	HACER	PONER
(tú)	ven	haz	pon
(usted)	venga	haga	ponga
(vosotros/-as)	venid	haced	poned
(ustedes)	vengan	hagan	pongan

	IR	SABER	DECIR	SALIR
(tú)	ve	sé	di	sal
(usted)	vaya	sea	diga	salga
(vosotros/-as)	id	sed	decid	salid
(ustedes)	vayan	sean	digan	salgan

USOS DEL IMPERATIVO

Para dar instrucciones.
Pon la leche y el chocolate y *mézclalos*.

Para dar consejos.
Cómprate estos pantalones. Son muy bonitos.

Para pedir acciones, en un registro familiar o de forma poco cortés.
¡Espera un momento!

Se usa también el imperativo en algunas fórmulas muy frecuentes.

▸ Para entregar algo:
Toma / Tome   *Toma*, un chicle.
Ten / Tenga   *Tenga*, un caramelo.

▸ Para captar la atención:

Oye / Oiga...   *Oiga*, ¿la calle Albéniz?
Perdona / Perdone...   *Perdona*, ¿tienes hora?

▸ Para introducir una explicación:
Mira / Mire...   *Mira*, yo me tengo que ir. Hablamos mañana.
Oye / Oiga...   *Oye*, era una broma. No pasa nada.

SER Y ESTAR

USOS DE SER

▶ Para identificar:

Esto **es** un regalo para ti.
San José **es** la capital de Costa Rica.

▶ Para hablar de cualidades permanentes:

Berta **es** muy simpática.
¿Has visto mi bolso? **Es** grande, rojo, de tela...

USOS DE ESTAR

▶ Para localizar algo:

San José **está** en Costa Rica.
Los tomates **están** en la nevera.

▶ Para hablar de características temporales:

Hoy Enrique **está** muy guapo.
Estás morena. ¿Has ido a la playa?
No sé qué le pasa a Eva. **Está** muy antipática.

▶ Para hablar del resultado de una acción:

Este boli **está** estropeado.
Esta planta **está** muerta.
La puerta de la calle **está** abierta.

▶ Para estados físicos y psíquicos:

Estoy cansada.
La gata **está** enferma.
¿**Estás** contenta con las notas?

▶ Con **bien** / **mal**:

Este libro **está** muy **bien**.
Enrique ya **está bien**; salió el martes del hospital.
Esto **está mal**: trece más nueve son veintidós.

RECURSOS PARA LA COMUNICACIÓN

CONTROL DE LA COMUNICACIÓN

¿**Cómo se escribe** tu apellido?
¿**Se escribe con** uve / acento / hache...?
¿**Cómo se escribe** zapato?
¿**Cómo se pronuncia** joven?
¿Biología **lleva acento?**
¿**Cómo se dice** anche **en español?**
¿**Cómo se llama esto en español?**
¿**Qué significa** cuaderno?
¿**Cuál es la diferencia entre** algún **y** ningún?
¿**En qué** página / ejercicio **estamos?**
(Perdón/-a) ¿**Cómo dices?**
¿**Qué has dicho?** No te he oído.
¿**Puedes hablar más alto, por favor?**
¿**Puedes hablar más despacio, por favor?**
¿**Puedes repetirlo más despacio, por favor?**
¿**Puedes escribirlo en la pizarra?**
¿**Puedes volverlo a explicar?**
¿**Puedes explicarlo otra vez?** No lo he entendido bien.
¿**Me dejas el diccionario?**

HABLAR DE GUSTOS Y PREFERENCIAS

Me interesa mucho la historia.
Me gusta mucho la informática.

No me interesa el deporte.
No me gusta el fútbol.

No me interesa nada este libro.
No me gusta nada este coche.

● ¿**Te gusta** el tenis?
  ¿**Te gustan** estos pantalones?
  ¿**Os interesa** la informática?
  ¿**Os interesan** los videojuegos?

○ **Sí, mucho.**
  No, no mucho.
  No, nada.

● Me interesa la informática.
○ **A mí también.**
■ **A mí no.**

● No me gusta el fútbol.
○ **A mí tampoco.**
■ **A mí sí.**

Mi asignatura **favorita es** el inglés.
Mi deporte **favorito es** el baloncesto.

No me gusta el campo; *prefiero* la playa.

● *¿Tú cuál prefieres?* ¿Este o este?
○ *Este*.

EXPRESAR DESEOS E INTENCIONES

Tengo ganas de estudiar italiano.
Este verano *quiero* hacer un curso de español.
A Greta *le gustaría* ser profesora.

PREGUNTAR POR LAS VACACIONES Y VALORARLAS

● *¿Qué tal* las vacaciones?
○ *Lo he pasado* muy bien / genial / ...
　 Lo hemos pasado bien / fenomenal / ...

● *¿Qué has hecho* este fin de semana?
○ *No he hecho nada especial.*
　 Me he aburrido un poco.

● *¿Dónde has estado* este año?
○ *He pasado* una semana *en Almería.*
　 Hemos hecho un viaje a Egipto.
　 Hemos estado en la Costa del Sol.

COMPARAR ÉPOCAS

Antes no había teléfonos móviles. *Ahora, en cambio,* los tiene casi todo el mundo.

Yo *antes* hacía mucho deporte, *pero ahora ya no.*

Yo *antes* hacía mucho deporte. *En cambio ahora* hago música.

HABLAR DEL ASPECTO FÍSICO

¿Cómo es?

Tiene el pelo muy largo.
Tiene el pelo rubio / castaño / negro / ...
Tiene el pelo rizado / liso / ...
Tiene los ojos marrones / azules / verdes / ...
Tiene los ojos muy bonitos.

Es rubio/a / moreno/a...
Es bastante alto/a y moreno/a.

Es alto/a.
Es bajito/a.
Es delgado/a.
Es gordito/a.

Lleva | gafas.
　　　| bigote.

Es muy guapo/a.
Es bastante guapo/a.
No es muy guapo/a.
Es un poco feo/a.

No es ni alto/a *ni* bajo/a.

HABLAR DE CAMBIOS FÍSICOS

Ana | ha adelgazado.
　　 | ha engordado.
　　 | ha crecido.
　　 | se ha cortado el pelo.
　　 | se ha dejado el pelo largo.
　　 | se ha rizado el pelo.
　　 | se ha hecho mayor.
　　 | se ha puesto lentillas.

Antes | era más simpática.
　　　 | estaba más morena.

HABLAR DEL CARÁCTER

Soy muy responsable y *muy* ordenado.
Laura *es un poco* despistada.
Tus padres *son muy* simpáticos.

DESCRIBIR MATERIALES

● *¿De qué está hecho/a?*

○ *Está hecho/a* | *de* madera.
　 Es 　　　　| *de* plástico.
　　　　　　　| *de* hierro.
　　　　　　　| *de* lana.
　　　　　　　| *de* piel.
　　　　　　　| *de* metal.
　　　　　　　| *de* tela.
　　　　　　　| *de* algodón.
　　　　　　　| *de* papel.

RECOMENDACIONES PERSONALES

Tienes que hacer ejercicio con regularidad.
No tienes que comer demasiados dulces.
Lo mejor que puedes hacer es leer mucho.
Si quieres adelgazar, *haz* más ejercicio.

RECOMENDACIONES IMPERSONALES

(No) Hay que...	*dormir ocho horas al día.*
Va muy bien...	
Es bueno...	
Es necesario...	
Es recomendable...	
Es importante...	

No hay que...	*dormir demasiado poco.*
No es bueno...	
Es malo...	

CONECTORES

▸ Para expresar causas:

Como *no tengo batería, te voy a llamar desde el móvil de Paco.*
Te voy a llamar desde el móvil de Paco *porque* *no tengo batería.*

▸ Para expresar consecuencias:

Mañana tengo un examen; *por eso* *me quedo en casa.*

▸ Para añadir información:

Es muy caro (y), *además*, *no me gusta mucho.*
Le llamé, le escribí. *También* *le mandé un correo electrónico.*

▸ Para contrastar información:

Laura es muy estudiosa; *en cambio*, *su hermano Manuel es muy*
perezoso.

▸ Para relacionar en el tiempo:

Cuando *tengo exámenes me pongo nerviosa y* *entonces*
no como nada.

PEDIR, PAGAR Y PREGUNTAR EN BARES O RESTAURANTES

¿Tienen *bocadillos calientes?*
Yo quiero *una ración de patatas fritas.*
Para mí *una pizza de queso.*
Un agua con gas, *por favor.*

● *¿Cuánto es?*
○ *Trece euros.*
● *Aquí tiene.*
● *Perdone, ¿dónde están* *los servicios?*
   ¿Los servicios, por favor?
○ *Por allí. A la derecha.*
   Al fondo, a la izquierda.

ESTADOS FÍSICOS
● *¿Qué te pasa?*

○ *Me duele* *la cabeza.*
   Me duelen *las piernas.*

○ *Tengo dolor de* *cabeza / estómago / ...*

○ *Estoy resfriado/a.*
   Estoy mareado/a.
   Estoy cansado/a.

○ *No me encuentro (muy) bien.*

○ *Me he hecho daño* *en la mano / el pie / ...*

○ *Tengo (un poco de)* *sed / hambre / calor / frío.*

¡Qué calor / frío!
¡Qué sed / hambre!
¡Qué daño!
¡Qué dolor (de *cabeza / estómago)!*

PROPONER UN PLAN, INVITAR

Si quieres, puedes venir *a mi casa.*
¿Quieres venir conmigo / con nosotros?
¿Por qué no vienes a mi casa / con nosotros?
¿Vamos *de compras?*

● *¿A qué hora quedamos?*
○ *A las cinco.*

● *¿Dónde quedamos?*
   ¿Quedamos en *mi casa?*

ACEPTAR, RECHAZAR Y EXCUSARSE

● *¿Qué tal* *a las seis?*
○ *Fenomenal*, *a las seis estoy allí.*
   Vale.
   Muy bien.

○ *No puedo*: *tengo que estudiar.*
   No puedo: *estoy resfriado.*

TABLAS DE VERBOS

VERBOS REGULARES

PRESENTE	PRETÉRITO PERFECTO verbo **haber** + participio*		PRETÉRITO INDEFINIDO	PRETÉRITO IMPERFECTO	IMPERATIVO AFIRMATIVO

INFINITIVO: ESTUDI**AR**   GERUNDIO: **ESTUDIANDO** | PARTICIPIO: **ESTUDIADO**

estudi**o**	he	estudi**ado**	estudi**é**	estudi**aba**	
estudi**as**	has	estudi**ado**	estudi**aste**	estudi**abas**	estudi**a**
estudi**a**	ha	estudi**ado**	estudi**ó**	estudi**aba**	estudi**e**
estudi**amos**	hemos	estudi**ado**	estudi**amos**	estudi**ábamos**	
estudi**áis**	habéis	estudi**ado**	estudi**asteis**	estudi**abais**	estudi**ad**
estudi**an**	han	estudi**ado**	estudi**aron**	estudi**aban**	estudi**en**

INFINITIVO: COM**ER**   GERUNDIO: **COMIENDO** | PARTICIPIO: **COMIDO**

com**o**	he	com**ido**	com**í**	com**ía**	
com**es**	has	com**ido**	com**iste**	com**ías**	com**e**
com**e**	ha	com**ido**	com**ió**	com**ía**	com**a**
com**emos**	hemos	com**ido**	com**imos**	com**íamos**	
com**éis**	habéis	com**ido**	com**isteis**	com**íais**	com**ed**
com**en**	han	com**ido**	com**ieron**	com**ían**	com**an**

INFINITIVO: VIV**IR**   GERUNDIO: **VIVIENDO** | PARTICIPIO: **VIVIDO**

viv**o**	he	viv**ido**	viv**í**	viv**ía**	
viv**es**	has	viv**ido**	viv**iste**	viv**ías**	viv**e**
viv**e**	ha	viv**ido**	viv**ió**	viv**ía**	viv**a**
viv**imos**	hemos	viv**ido**	viv**imos**	viv**íamos**	
viv**ís**	habéis	viv**ido**	viv**isteis**	viv**íais**	viv**id**
viv**en**	han	viv**ido**	viv**ieron**	viv**ían**	viv**an**

* PARTICIPIOS REGULARES

abrir	→ **abierto**	escribir	→ **escrito**	ir	→ **ido**	romper	→ **roto**
cubrir	→ **cubierto**	freír	→ **frito / freído**	morir	→ **muerto**	ver	→ **visto**
decir	→ **dicho**	hacer	→ **hecho**	poner	→ **puesto**	volver	→ **vuelto**

VERBOS IRREGULARES

PRESENTE	PRETÉRITO INDEFINIDO	PRETÉRITO IMPERFECTO	IMPERATIVO AFIRMATIVO

CAER · GERUNDIO: **CAYENDO** | PARTICIPIO: **CAÍDO**

PRESENTE	PRETÉRITO INDEFINIDO	PRETÉRITO IMPERFECTO	IMPERATIVO AFIRMATIVO
caigo	caí	caía	
caes	caíste	caías	cae
cae	**cayó**	caía	**caiga**
caemos	caímos	caíamos	
caéis	caísteis	caíais	caed
caen	**cayeron**	caían	**caigan**

CONOCER · GERUNDIO: **CONOCIENDO** | PARTICIPIO: **CONOCIDO**

PRESENTE	PRETÉRITO INDEFINIDO	PRETÉRITO IMPERFECTO	IMPERATIVO AFIRMATIVO
conozco	conocí	conocía	
conoces	conociste	conocías	conoce
conoce	conoció	conocía	**conozca**
conocemos	conocimos	conocíamos	
conocéis	conocisteis	conocíais	conoced
conocen	conocieron	conocían	**conozcan**

DAR · GERUNDIO: **DANDO** | PARTICIPIO: **DADO**

PRESENTE	PRETÉRITO INDEFINIDO	PRETÉRITO IMPERFECTO	IMPERATIVO AFIRMATIVO
doy	**di**	daba	
das	**diste**	dabas	da
da	**dio**	daba	**dé**
damos	**dimos**	dábamos	
dais	**disteis**	dabais	dad
dan	**dieron**	daban	den

DECIR · GERUNDIO: **DICIENDO** | PARTICIPIO: **DICHO**

PRESENTE	PRETÉRITO INDEFINIDO	PRETÉRITO IMPERFECTO	IMPERATIVO AFIRMATIVO
digo	**dije**	decía	
dices	**dijiste**	decías	**di**
dice	**dijo**	decía	**diga**
decimos	**dijimos**	decíamos	
decís	**dijisteis**	decíais	decid
dicen	**dijeron**	decían	**digan**

DORMIR · GERUNDIO: **DURMIENDO** | PARTICIPIO: **DORMIDO**

PRESENTE	PRETÉRITO INDEFINIDO	PRETÉRITO IMPERFECTO	IMPERATIVO AFIRMATIVO
duermo	dormí	dormía	
duermes	dormiste	dormías	**duerme**
duerme	**durmió**	dormía	**duerma**
dormimos	dormimos	dormíamos	
dormís	dormisteis	dormíais	dormid
duermen	**durmieron**	dormían	**duerman**

ESTAR · GERUNDIO: **ESTANDO** | PARTICIPIO: **ESTADO**

PRESENTE	PRETÉRITO INDEFINIDO	PRETÉRITO IMPERFECTO	IMPERATIVO AFIRMATIVO
estoy	**estuve**	estaba	
estás	**estuviste**	estabas	**está**
está	**estuvo**	estaba	**esté**
estamos	**estuvimos**	estábamos	
estáis	**estuvisteis**	estabais	estad
están	**estuvieron**	estaban	**estén**

HABER · GERUNDIO: **HABIENDO** | PARTICIPIO: **HABIDO**

PRESENTE	PRETÉRITO INDEFINIDO	PRETÉRITO IMPERFECTO	IMPERATIVO AFIRMATIVO
he	**hubo**	había	
has	**hubiste**	habías	
ha / hay*	**hubo**	había	
hemos	**hubimos**	habíamos	
habéis	**hubisteis**	habíais	
han	**hubieron**	habían	

* forma impersonal

HACER · GERUNDIO: **HACIENDO** | PARTICIPIO: **HECHO**

PRESENTE	PRETÉRITO INDEFINIDO	PRETÉRITO IMPERFECTO	IMPERATIVO AFIRMATIVO
hago	**hice**	hacía	
haces	**hiciste**	hacías	**haz**
hace	**hizo**	hacía	**haga**
hacemos	**hicimos**	hacíamos	
hacéis	**hicisteis**	hacíais	haced
hacen	**hicieron**	hacían	**hagan**

INCLUIR · GERUNDIO: **INCLUYENDO** | PARTICIPIO: **INCLUIDO**

PRESENTE	PRETÉRITO INDEFINIDO	PRETÉRITO IMPERFECTO	IMPERATIVO AFIRMATIVO
incluyo	incluí	incluía	
incluyes	incluiste	incluías	**incluye**
incluye	**incluyó**	incluía	**incluya**
incluimos	incluimos	incluíamos	
incluís	incluisteis	incluíais	incluid
incluyen	**incluyeron**	incluían	**incluyan**

IR · GERUNDIO: **YENDO** | PARTICIPIO: **IDO**

PRESENTE	PRETÉRITO INDEFINIDO	PRETÉRITO IMPERFECTO	IMPERATIVO AFIRMATIVO
voy	fui	iba	
vas	fuiste	ibas	ve
va	fue	iba	vaya
vamos	fuimos	íbamos	
vais	fuisteis	ibais	id
van	fueron	iban	vayan

JUGAR · GERUNDIO: **JUGANDO** | PARTICIPIO: **JUGADO**

PRESENTE	PRETÉRITO INDEFINIDO	PRETÉRITO IMPERFECTO	IMPERATIVO AFIRMATIVO
juego	**jugué**	jugaba	
juegas	jugaste	jugabas	**juega**
juega	jugó	jugaba	**juegue**
jugamos	jugamos	jugábamos	
jugáis	jugasteis	jugabais	jugad
juegan	jugaron	jugaban	**jueguen**

MOVER · GERUNDIO: **MOVIENDO** | PARTICIPIO: **MOVIDO**

PRESENTE	PRETÉRITO INDEFINIDO	PRETÉRITO IMPERFECTO	IMPERATIVO AFIRMATIVO
muevo	moví	movía	
mueves	moviste	movías	**mueve**
mueve	movió	movía	**mueva**
movemos	movimos	movíamos	
movéis	movisteis	movíais	moved
mueven	movieron	movían	**muevan**

OIR · GERUNDIO: **OYENDO** | PARTICIPIO: **OÍDO**

PRESENTE	PRETÉRITO INDEFINIDO	PRETÉRITO IMPERFECTO	IMPERATIVO AFIRMATIVO
oigo	oí	oía	
oyes	oíste	oías	**oye**
oye	**oyó**	oía	**oiga**
oímos	oímos	oíamos	
oís	oísteis	oíais	oíd
oyen	**oyeron**	oían	**oigan**

PENSAR · GERUNDIO: **PENSANDO** | PARTICIPIO: **PENSADO**

PRESENTE	PRETÉRITO INDEFINIDO	PRETÉRITO IMPERFECTO	IMPERATIVO AFIRMATIVO
pienso	pensé	pensaba	
piensas	pensaste	pensabas	**piensa**
piensa	pensó	pensaba	**piense**
pensamos	pensamos	pensábamos	
pensáis	pensasteis	pensabais	pensad
piensan	pensaron	pensaban	**piensen**

VERBOS IRREGULARES

PRESENTE	PRETÉRITO INDEFINIDO	PRETÉRITO IMPERFECTO	IMPERATIVO AFIRMATIVO
PERDER GERUNDIO: **PERDIENDO**	PARTICIPIO: **PERDIDO**		
pierdo	perdí	perdía	
pierdes	perdiste	perdías	**pierde**
pierde	perdió	perdía	**pierda**
perdemos	perdimos	perdíamos	
perdéis	perdisteis	perdíais	perded
pierden	perdieron	perdían	**pierdan**
PODER GERUNDIO: **PUDIENDO**	PARTICIPIO: **PODIDO**		
puedo	**pude**	podía	
puedes	**pudiste**	podías	**puede**
puede	**pudo**	podía	**pueda**
podemos	**pudimos**	podíamos	
podéis	**pudisteis**	podíais	poded
pueden	**pudieron**	podían	**puedan**
PONER GERUNDIO: **PONIENDO**	PARTICIPIO: **PUESTO**		
pongo	**puse**	ponía	
pones	**pusiste**	ponías	**pon**
pone	**puso**	ponía	**ponga**
ponemos	**pusimos**	poníamos	
ponéis	**pusisteis**	poníais	poned
ponen	**pusieron**	ponían	**pongan**
QUERER GERUNDIO: **QUERIENDO**	PARTICIPIO: **QUERIDO**		
quiero	**quise**	quería	
quieres	**quisiste**	querías	**quiere**
quiere	**quiso**	quería	**quiera**
queremos	**quisimos**	queríamos	
queréis	**quisisteis**	queríais	quered
quieren	**quisieron**	querían	**quieran**
REIR GERUNDIO: **RIENDO**	PARTICIPIO: **REÍDO**		
río	reí	reía	
ríes	reíste	reías	**ríe**
ríe	**rió**	reía	**ría**
reímos	reímos	reíamos	
reís	reísteis	reíais	reíd
ríen	**rieron**	reían	**rían**
SABER GERUNDIO: **SABIENDO**	PARTICIPIO: **SABIDO**		
sé	**supe**	sabía	
sabes	**supiste**	sabías	sabe
sabe	**supo**	sabía	**sepa**
sabemos	**supimos**	sabíamos	
sabéis	**supisteis**	sabíais	sabed
saben	**supieron**	sabían	**sepan**
SALIR GERUNDIO: **SALIENDO**	PARTICIPIO: **SALIDO**		
salgo	salí	salía	
sales	saliste	salías	**sal**
sale	salió	salía	**salga**
salimos	salimos	salíamos	
salís	salisteis	salíais	salid
salen	salieron	salían	**salgan**

PRESENTE	PRETÉRITO INDEFINIDO	PRETÉRITO IMPERFECTO	IMPERATIVO AFIRMATIVO
SENTIR GERUNDIO: **SINTIENDO**	PARTICIPIO: **SENTIDO**		
siento	sentí	sentía	
sientes	sentiste	sentías	**siente**
siente	sintió	sentía	**sienta**
sentimos	sentimos	sentíamos	
sentís	sentisteis	sentíais	sentid
sienten	sintieron	sentían	**sientan**
SER GERUNDIO: **SIENDO**	PARTICIPIO: **SIDO**		
soy	**fui**	**era**	
eres	**fuiste**	**eras**	**sé**
es	**fue**	**era**	sea
somos	**fuimos**	**éramos**	
sois	**fuisteis**	**erais**	**sed**
son	**fueron**	**eran**	sean
SERVIR GERUNDIO: **SIRVIENDO**	PARTICIPIO: **SERVIDO**		
sirvo	serví	servía	
sirves	serviste	servías	**sirve**
sirve	**sirvió**	servía	**sirva**
servimos	servimos	servíamos	
servís	servisteis	servíais	servid
sirven	**sirvieron**	servían	**sirvan**
TENER GERUNDIO: **TENIENDO**	PARTICIPIO: **TENIDO**		
tengo	**tuve**	tenía	
tienes	**tuviste**	tenías	**ten**
tiene	**tuvo**	tenía	**tenga**
tenemos	**tuvimos**	teníamos	
tenéis	**tuvisteis**	teníais	tened
tienen	**tuvieron**	tenían	**tengan**
TRAER GERUNDIO: **TRAYENDO**	PARTICIPIO: **TRAÍDO**		
traigo	**traje**	traía	
traes	**trajiste**	traías	trae
trae	**trajo**	traía	**traiga**
traemos	**trajimos**	traíamos	
traéis	**trajisteis**	traíais	traed
traen	**trajeron**	traían	**traigan**
VENIR GERUNDIO: **VINIENDO**	PARTICIPIO: **VENIDO**		
vengo	**vine**	venía	
vienes	**viniste**	venías	**ven**
viene	**vino**	venía	**venga**
venimos	**vinimos**	veníamos	
venís	**vinisteis**	veníais	venid
vienen	**vinieron**	venían	**vengan**
VER GERUNDIO: **VIENDO**	PARTICIPIO: **VISTO**		
veo	vi	**veía**	
ves	viste	**veías**	ve
ve	vio	**veía**	vea
vemos	vimos	**veíamos**	
veis	visteis	**veíais**	ved
ven	vieron	**veían**	vean

MI VOCABULARIO

MI VOCABULARIO ESENCIAL

En este glosario encontrarás las palabras más importantes de las unidades traducidas al inglés, al francés y al portugués según el contexto en el que se encuentran en el libro.

En la primera parte encontrarás las palabras ordenadas por unidades y, a continuación, **Mi vocabulario A-Z**, con las mismas palabras ordenadas alfabéticamente.

Todos los nombres en español van acompañados por el artículo determinado (masculino y/o femenino) y por la forma femenina, si la tienen. Los nombres que se usan en plural llevan el artículo plural.

Los verbos se presentan siempre en infinitivo. Las irregularidades de los verbos en presente de indicativo se indican de las siguientes formas: *(g), (i), (ie), (ue), (y), (zc)*. Los verbos con distintos tipos de irregularidad llevan un asterisco (*). Las irregularidades debidas a la adecuación a las normas ortográficas no se marcan.

Abreviaturas (solo aparecen en caso de ambigüedad):
adj.	*adjetivo*
adv.	*adverbio*
conj.	*conjunción*
f.	*femenino*
interj.	*interjección*

	ENGLISH	FRANÇAIS	PORTUGUÊS

1. ADIÓS AL VERANO

Dos semanas en Venezuela

	ENGLISH	FRANÇAIS	PORTUGUÊS
ver	to see	voir	ver
descansar	to rest	se reposer	descansar
probar *(ue)*	to try	goûter	experimentar
comida, la	lunch	nourriture	comida

LAS VACACIONES DE MARTÍN

1. ¿Qué has hecho este verano?

	ENGLISH	FRANÇAIS	PORTUGUÊS
tienda de campaña, la	tent	tente de camping	barraca para acampar
campamento, el	camp	campemant	acampamento
pasarlo bien	to have a good time	bien s'amuser	aproveitar
charlar	to chat	bavarder	conversar
todavía	yet	toujours, encore	ainda
fenomenal	fantastic	génial	demais
excursión, la	trip	excursion	caminhada
decir *(i)(g)*	to say	dire	dizer
empezar *(ie)*	to start	commencer	começar
creer	to believe	croire	acreditar
conocer *(zc)*	to meet, to get to know	connaître	conhecer
último/-a	latest	dernier/-ière	último/-a
terminar	to finish	terminer	acabar
ayudar	to help	aider	ajudar
tener ganas de	to want to	avoir envie de	estar com vontade de
volver *(ue)*	to return	rentrer	voltar
querer *(ie)*	to want	vouloir	amar
aburrirse	to get bored	s'ennuyer	ficar entediado
echar de menos	to miss	manquer, regretter	ficar com saudade

LAS VACACIONES

	ENGLISH	FRANÇAIS	PORTUGUÊS
divertirse *(ie)*	to have fun	s'amuser	aproveitar
salir *(g)*	to go out	sortir	sair
nada especial	nothing special	rien de spécial	nada de especial

2. El blog de La latina

	ENGLISH	FRANÇAIS	PORTUGUÊS
barrio, el	district	quartier	bairro

	ENGLISH	FRANÇAIS	PORTUGUÊS
encantar	to love	adorer	adorar
ganar	to win	gagner	ganhar
premio, el	prize	prix	prêmio
vivir	to live	vivre	viver
actualmente	currently	actuellement	atualmente
sueño, el	dream	rêve	sonho

TENGO GANAS DE EMPEZAR
3. Los vecinos del número 13

	ENGLISH	FRANÇAIS	PORTUGUÊS
mismo/-a, el / la	same	même	mesmo/-a
calle, la	street	rue	rua
vacaciones, las	holidays	vacances	férias
próximo/-a	next	prochain/-aine	próximo/-a
viajar	to travel	voyager	viajar
quedarse	to stay	rester	ficar
todos/-as	all	tous / toutes	todos/-as
instituto, el	secondary school	lycée	ginásio / segundo grau
deberes, los	homework	devoirs	deveres
vecino/-a, el / la	neighbour	voisin/-e	vizinho/-a
raro	strange	bizarre	esquisito
saber *	to know	savoir	saber
demás, los / las	others	autres	outros/-as
invitar	to invite	inviter	convidar

EXPRESAR INTENCIONES

	ENGLISH	FRANÇAIS	PORTUGUÊS
suspender	to fail	échouer à un examen	reprovar

REGLAS, PALABRAS Y SONIDOS
USOS DE ESTAR + GERUNDIO

	ENGLISH	FRANÇAIS	PORTUGUÊS
bañarse	to swim	se baigner	tomar banho
piscina, la	swimming pool	piscine	piscina
ropa, la	clothes	vêtements	roupa
dar una vuelta	to go for a walk, to hang out	faire un tour	dar uma volta

LAS VACACIONES DE LAURA Y DE MIGUEL

	ENGLISH	FRANÇAIS	PORTUGUÊS
pueblo, el	village	village	vilarejo

LA REVISTA
Escuelas solidarias

	ENGLISH	FRANÇAIS	PORTUGUÊS
participar	to participate	participer	participar
organizar	to organise	organiser	organizar
gente, la	people	gens	pessoas
lugar	place	lieu	lugar
cambiar	to change	changer	mudar

CANCIÓN
Esta soy yo

	ENGLISH	FRANÇAIS	PORTUGUÊS
normal	normal	normal/-e	normal
cantante, el / la	singer	chanteur/-euse / la	cantor/-a

VÍDEO
Una banda de música en El Escorial

	ENGLISH	FRANÇAIS	PORTUGUÊS
especial	special	spécial/-e	especial
banda	band	bande	banda
concierto	concert	concert	show

NUESTRO PROYECTO

	ENGLISH	FRANÇAIS	PORTUGUÊS
ciudad, la	city	ville	cidade
fiesta, la	party	fête	festa
gustos, los	likes	goûts	gostos
afición, la	hobby	penchant, goût	torcida
llevarse bien	to get on well (together)	s'entendre bien	se dar bem

	ENGLISH	FRANÇAIS	PORTUGUÊS
EVALUACIÓN			
Comprensión escrita			
playa, la	beach	plage	praia
demasiado/-a	too much, too many	trop de	muito
juntos	together	ensemble	juntos
autobús, el	bus	autobus	ônibus

2. ¿QUIÉN Y CUÁNDO?

Montañas, expediciones, cuentos y camisetas

	ENGLISH	FRANÇAIS	PORTUGUÊS
mujer, la	woman	femme	mulher
subir	to climb	faire l'ascension de	subir

VIDAS INTERESANTES

1. Biografías

	ENGLISH	FRANÇAIS	PORTUGUÊS
nacer (zc)	to be born	naître	nascer
moto, la	motorbike	moto	moto
carrera, la	race	course	corrida
piloto, el / la	racing driver	pilote	piloto
campeón/-a, el / la	champion	champion/-ionne	campeão / campeona
ganador/-a, el / la	winner	gagnant/-e	vencedor/-a
viajero/-a, el / la	traveller	voyageur/-euse	viajante
escritor/-a, el / la	writer	écrivain/-e	escritor/-a
hospital, el	hospital	hôpital	hospital
enfermedad, la	illness	maladie	doença
curarse	to recover	guérir	curar-se
solo/-a	alone	seul/-e	sozinho/-a
novio/-a, el / la	boyfriend / girlfriend	petit ami / petite amie	namorado/-a
director/-a de orquesta, el / la	conductor	chef d'orchestre	diretor de orquestra
juventud, la	youth	jeunesse	juventude
premiar	to award	récompenser	dar um prêmio
universidad, la	university	université	universidade
internacional	international	international/-e	internacional
instrumento, el	instrument	instrument	instrumento

PROFESIONES

	ENGLISH	FRANÇAIS	PORTUGUÊS
político/-a, el / la	politician	homme / femme politique	político/-a
pintor/-a, el / la	painter	peintre	pintor/-a
científico/-a, el / la	scientist	scientifique	cientista
deportista, el / la	sportsman / sportswoman	sportif/-ive	esportista
atleta, el / la	athlete	athlète	atleta
actor / actriz, el / la	actor / actress	acteur / actrice	ator / atriz

¿EN QUÉ AÑO?

2. Picasso y el *Guernica*

	ENGLISH	FRANÇAIS	PORTUGUÊS
tristeza, la	sadness	tristesse	tristeza
amor, el	love	amour	amor
dolor, el	pain	douleur	dor
aventura, la	adventure	aventure	aventura
guerra, la	war	guerre	guerra
paz, la	peace	paix	paz
sufrir	to suffer	subir, souffrir	sofrer
morir	to die	mourir	morrer
pintar	to paint	peindre	pintar
cuadro, el	painting	tableau	quadro
hecho, el	event	fait	fato
final, el	end	fin	final
conocido/-a	famous	connu/-e	conhecido/-a

	ENGLISH	FRANÇAIS	PORTUGUÊS
CONTAR HECHOS PASADOS			
durar	to last	durer	durar
bombero/-a, el / la	firefighter	pompier	bombeiro/-a
luchar	to fight	lutter	lutar
3. Momentos importantes			
boda, la	wedding	mariage	casamento
REGLAS, PALABRAS Y SONIDOS			
EL PRETÉRITO INDEFINIDO			
Navidades, las	Christmas (time)	Noël	Natal
divertido	fun	amusant	divertido
MARCADORES TEMPORALES			
anteayer	day before yesterday	avant-hier	anteontem
nacimiento, el	birth	naissance	nascimento
durante	during	pendant	durante
equipo, el	team	équipe	equipe
de mayor	when I grow up	à l'âge adulte	de grande
siempre	always	toujours	sempre
UNA CARRERA DE DEPORTISTA			
dejar	to leave	abandonner	deixar
LA REVISTA			
Grandes obras			
puente, el	bridge	pont	ponte
centro, el	centre	centre	centro
religioso/-a	religious	religieux/-ieuse	religioso/-a
islámico/-a	Islamic	islamique	islâmico/-a
mezquita, la	mosque	mosquée	mesquita
catedral, la	cathedral	cathédrale	catedral
cristiano/-a	Christian	chrétien/-ienne	cristão, cristã
monumento, el	monument	monument	monumento
continente, el	continent	continent	continente
transporte, el	transport	transport	transporte
época, la	period	époque	época
muerte, la	death	mort	morte
junto a	next to, near	près de	junto com a
cultura, la	culture	culture	cultura
ser humano, el	human being	être humain	ser humano
VÍDEO			
Una vida para contarla			
infancia, la	childhood	enfance	infância
feliz	happy	heureux/-euse	feliz
CANCIÓN			
La historia de Juan			
historia, la	story	histoire	história
nadie	no one / nobody	personne	ninguém
amar	to love	aimer	amar
crecer *(zc)*	to grow up	grandir	crescer
abandonar	to abandon	abandonner	abandonar
negar *(ie)*	to refuse	refuser	negar
perdón, el	forgiveness	pardon	perdão
soñar *(ue)*	to dream	rêver	sonhar
olvidar	to forget	oublier	esquecer
LA PEÑA DEL GARAJE			
llegar	to reach, to arrive	arriver	chegar
inventar	to invent	inventer	inventar
vez, la	time	fois	vez
protagonista, el / la	star	personnage principal	protagonista

	ENGLISH	FRANÇAIS	PORTUGUÊS
NUESTRO PROYECTO			
profesión, la	profession	profession	profissão
artista, el / la	artist	artiste	artista
concurso, el	competition	concours	concurso
descubrimiento, el	discovery	découverte	descobrimento

3. AQUÍ VIVO YO

Mi pueblo

habitante, el	inhabitant	habitant / habitante	habitante
plaza, la	square	place	praça
iglesia	church	église	igreja
antiguo/-a	old	ancien/-ienne	antigo/-a
producto típico, el	typical product	produit typique	produto típico
bosque, el	forest	bois, forêt	campo
camino, el	path	chemin	caminho
fantástico/-a	fantastic	fantastique	maravilhoso/-a

¿DÓNDE ESTÁ MI MOCHILA?

espejo, el	mirror	miroir	espelho
váter, el	toilet	cuvette des toilettes	privada
televisor, el	television	téléviseur	televisão
suelo, el	floor	sol	chão
zapatillas, las	slippers	chaussures de sport	tênis
mueble, el	furniture	meuble	móvel
objeto, el	object	objet	objeto

1. No encuentro mi anorak

mochila, la	rucksack	sac à dos	mochila
botas, las	boots	bottes	bota
gorra, la	cap	casquette	boné
anorak, el	anorak	anorak	casaco
encontrar (ue)	to find	trouver	achar
armario, el	wardrobe	armoire	armário
cocina, la	kitchen	cuisine	cozinha
baño, el	bathroom	salle de bains	banheiro
estantería, la	shelf	étagère	prateleira
salón, el	living room	salon	sala
sofá, el	sofa	canapé	sofá
lámpara, la	lamp	lampe	abajur

SITUAR EN EL ESPACIO

encima de	on top of	dessus, sur	em cima do/-a
debajo de	under	dessous, sous	debaixo do/-a
detrás de	behind	derrière	atrás do/-a
delante de	in front of	devant	na frente do/-a
al lado de	next to	à côté de	ao lado do/-a
dentro de	inside	à l'intérieur de	dentro do/-a
a la derecha de	to the right of	à droite	à direita do/-a
a la izquierda de	to the left of	à gauche	à esquerda do/-a
aquí	here	ici	aqui
ahí	there	là	aí

HAY / ESTÁ

cuarto de baño, el	bathroom	salle de bains	banheiro
comedor, el	dining room	salle à manger	sala de jantar
sillón, el	armchair	fauteuil	poltrona

2. Debajo de la cama

raqueta de tenis, la	tennis racket	raquette de tennis	raquete de tênis
caja, la	box	caisse	caixa
monopatín, el	skateboard	skate-board	skate
puerta, la	door	porte	porta

	ENGLISH	FRANÇAIS	PORTUGUÊS
pelota, la	ball	ballon	bola
planta, la	plant	plante	planta
mesa, la	table	table	mesa

3. El barrio de la Paz

	ENGLISH	FRANÇAIS	PORTUGUÊS
estación de metro, la	underground station	station de métro	estação de metrô
aparcamiento, el	car park	stationnement	estacionamento
hotel, el	hotel	hôtel	hotel
supermercado, el	supermarket	supermarché	supermercado
restaurante, el	restaurant	restaurant	restaurante
parada de autobús, la	bus stop	arrêt d'autobus	parada de ônibus
museo, el	museum	musée	museu
papelería, la	stationer's shop	papeterie	papelaria
parque, el	park	parc	parque

LA CIUDAD Y EL BARRIO

	ENGLISH	FRANÇAIS	PORTUGUÊS
tranquilo/-a	quiet	tranquille	tranquilo/-a
animado/-a	lively	animé/-e	animado/-a
contaminación, la	pollution	pollution	contaminação
faltar	to lack	manquer	faltar
comunicado/-a	accessible	desservi/-e	comunicado/-a
situado/-a	located	situé/-e	localizado/-a
sucio/-a	dirty	sale	sujo/-a
limpio/-a	clean	propre	limpo/-a
lejos	far	loin	longe
minuto, el	minute	minute	minuto

4. Nuestro barrio

	ENGLISH	FRANÇAIS	PORTUGUÊS
mercado, el	market	marché	mercado
bar, el	bar	bar	bar
terraza, la	terrace	terrasse	terraço
pasear	to go for a walk	se promener	passear
tomar algo	to have a drink, to have a bite to eat	boire quelque chose	tomar alguma coisa
turista, el	tourist	touriste	turista
convivir	to live together	cohabiter, vivre ensemble	conviver
celebrar	to celebrate	fêter	comemorar
centro deportivo, el	sports centre	centre sportif	centro esportivo
ruido, el	noise	bruit	barulho
aire libre, el	open air	plein air	ar livre
urbanización, la	housing estate	lotissement	condomínio

REGLAS, PALABRAS Y SONIDOS

USOS DE SER, ESTAR, HABER Y TENER

	ENGLISH	FRANÇAIS	PORTUGUÊS
aeropuerto, el	airport	aéroport	aeroporto
fábrica, la	factory	usine	fábrica
puerto, el	port	port	porto
carril bici, el	cycle lane	piste cyclable	ciclovia
tren, el	train	train	trem
rodeado/-a	surrounded	entouré/-e	rodeado/-a
rico/-a	rich	riche	rico/-a
turístico/-a	tourist	touristique	turístico/-a
baloncesto, el	basketball	basket	basquete
estupendo/-a	marvellous	formidable	demais

PRONOMBRES ÁTONOS DE COMPLEMENTO DIRECTO

	ENGLISH	FRANÇAIS	PORTUGUÊS
chaqueta, la	jacket	veste	jaqueta
guardar	to put away	ranger	guardar
nevera, la	refrigerator	réfrigérateur	geladeira
abrigo, el	coat	manteau	casaco
colgar (ue)	to hang up	accrocher	pendurar
correo electrónico, el	e-mail	courrier électronique	e-mail

MI VOCABULARIO ESENCIAL

	ENGLISH	FRANÇAIS	PORTUGUÊS
HAY UN GATO...			
fuente, la	fountain	source	fonte
quiosco, el	kiosk	kiosque	banca de jornal
banco, el	bench	banc	banco
farola, la	lamppost	réverbère	poste de iluminação
LA REVISTA			
Raperos: poetas del barrio			
hip hop, el	hip hop	hip-hop	hip-hop
pintura, la	painting	peinture	pintura
música rap, la	rap music	musique rap	rap
pobre	poor	pauvre	pobre
mayoría, la	most	majorité	maioria
libertad, la	freedom	liberté	liberdade
violencia, la	violence	violence	violência
racismo, el	racism	racisme	racismo
alcohol, el	alcohol	alcool	álcool
éxito, el	success	succès	sucesso
CANCIÓN			
Te llevo			
oír *	to listen	entendre	ouvir
sitio, el	place	endroit	lugar
solamente	only	seulement	somente

4. OTROS TIEMPOS

	ENGLISH	FRANÇAIS	PORTUGUÊS
Dos ciudades en el valle de México			
arquitectura, la	architecture	architecture	arquitetura
vestido, el	clothing	vêtement, robe	vestido
costumbre, la	custom	coutume	costume
imperio, el	empire	empire	império
territorio, el	territory	territoire	território
avance tecnológico, el	technological progress	progrès technologique	avanço tecnológico
navegar	to sail	naviguer	navegar
ejército, el	army	armée	exército
principio, el	beginning	début	princípio
fin, el	end	fin	fim
desaparecer *(zc)*	to disappear	disparaître	desaparecer
ANTES Y AHORA			
1. Antes no había ordenadores			
antes	in the past	avant	antes
existir	to exist	exister	existir
teléfono fijo, el	landline phone	téléphone fixe	telefone fixo
teléfono móvil, el	mobile phone	téléphone portable	telefone celular
escribir a máquina	to type	écrire à la machine	escrever à máquina
2. ¡Cómo han cambiado!			
cortarse el pelo	to get one's hair cut	se (faire) couper les cheveux	cortar o cabelo
dejarse el pelo largo	to leave one's hair long	se laisser pousser les cheveux	deixar o cabelo comprido
engordar	to put on weight	grossir	engordar
ponerse *(g)* lentillas	to put on contact lenses	mettre ses lentilles	pôr lentes de contato
muñeca, la	doll	poupée	boneca
EN LA ÉPOCA DE LOS GOLFIANOS			
3. Solo comían frutas y verduras			
trenza, la	plait	tresse	trança
cultivar	to cultivate, to farm	cultiver	cultivar
moneda, la	coin	pièce de monnaie	moeda
cristal, el	glass	verre	vidro

	ENGLISH	FRANÇAIS	PORTUGUÊS
comunicarse	to communicate	communiquer	comunicar-se
madera, la	wood	bois	madeira
cercano/-a	nearby	proche	próximo/-a
vestirse (i)	to get dressed	s'habiller	vestir-se
pescar	to fish	pêcher	pescar
pez, el	fish (animal)	poisson	peixe
cazar	to hunt	chasser	caçar
pacífico/-a	peace-loving	pacifique	pacífico/-a
violento/-a	violent	violent/-e	violento/-a
desagradable	unpleasant	désagréable	desagradável
plástico, el	plastic	plastique	plástico
peinado, el	hairstyle	coiffure	penteado

DESCRIBIR MATERIALES

	ENGLISH	FRANÇAIS	PORTUGUÊS
metal, el	metal	métal	metal
papel, el	paper	papier	papel

MARCADORES TEMPORALES

	ENGLISH	FRANÇAIS	PORTUGUÊS
de vez en cuando	from time to time, now and again	de temps en temps	de vez em quando
entonces	then, at that time	alors	então
electricidad, la	electricity	électricité	eletricidade
agua corriente, el	running water	eau courante	água corrente

CONECTAR INFORMACIONES

	ENGLISH	FRANÇAIS	PORTUGUÊS
comerciante, el / la	trader, shopkeeper	commerçant/-e	comerciante
agricultor/-a, el / la	farmer	agriculteur / agricultrice	agricultor/-a
en cambio	on the other hand	en revanche	em compensação

REGLAS, PALABRAS Y SONIDOS

CONECTAR INFORMACIONES

	ENGLISH	FRANÇAIS	PORTUGUÊS
malas notas, las	bad marks	mauvaises notes	notas ruins
estudioso/-a	studious	studieux/-ieuse	estudioso/-a
aprobar (ue)	to pass	réussir	passar
por eso	therefore, and so	c'est pour cela	por isso
como	how	comment	como
además	moreover	en plus	além disso
hablador/-a	talkative	bavard/-e	tagarela
contento/-a	happy	content/-e	contente

PUEBLOS Y CULTURAS: LOS ÍBEROS

	ENGLISH	FRANÇAIS	PORTUGUÊS
cereal, el	cereal	céréale	cereal
aceite, el	oil	huile	azeite, óleo
vino, el	wine	vin	vinho
pastor/-a, el / la	shepherd / shepherdess	berger / bergère	pastor/-a
ganadero/-a, el /la	cattle farmer	éleveur / éleveuse	pecuarista/-a
utilizar	to use	utiliser	utilizar

LA REVISTA

Los mayas

	ENGLISH	FRANÇAIS	PORTUGUÊS
civilización, la	civilisation	civilisation	civilização
desarrollarse	to develop	se développer	desenvolver-se
siglo, el	century	siècle	século
económico/-a	economic	économique	econômico/-a
agricultura, la	agriculture	agriculture	agricultura
ciencia, la	science	science	ciência
sumar	to add (up)	additionner	somar
restar	to subtract	soustraire	subtrair
multiplicar	to multiply	multiplier	multiplicar
dividir	to divide	diviser	dividir
juguete, el	toy	jouet	brinquedo

	ENGLISH	FRANÇAIS	PORTUGUÊS
POEMA			
El lobito bueno			
príncipe, el / princesa, la	prince, princess	prince / princesse	príncipe / princesa
malo/-a	wicked, bad	méchant/-e	malvado/-a
bruja, la	witch	sorcière	bruxa
hermoso/-a	beautiful	beau / belle	charmoso/-a, belo/-a
pirata, el	pirate	pirate	pirata
LA PEÑA DEL GARAJE			
horrible	horrible	horrible	horrível
caballo, el	horse	cheval	cavalo
aparecer *(zc)*	to appear	apparaître	aparecer
rana, la	frog	grenouille	rã
mágico/-a	magic	magique	mágico/-a
beso, el	kiss	baiser	beijo

5 ¡EN FORMA!

	ENGLISH	FRANÇAIS	PORTUGUÊS
Hacemos deporte			
atletismo, el	athletics	athlétisme	atletismo
esquiar	to ski	skier	esquiar
golf, el	golf	golf	golfe
tío/-a, el / la	uncle, aunt	oncle / tante	tio/-a
judo, el	judo	judo	judô
danza, la	dance	danse	dança
PREPARADOS... LISTOS... ¡YA!			
1. Yo hago natación			
natación, la	swimming	natation	natação
voleibol, el	volleyball	volley-ball	vôlei
bádminton, el	badminton	badminton	badminton
béisbol, el	baseball	base-ball	baseball
balonmano, el	handball	hand-ball	handball
hockey, el	hockey	hockey	hóquei
rugby, el	rugby	rugby	rugby
ME DUELE / ME DUELEN			
pie, el	foot	pied	pé
mano, la	hand	main	mão
2. Mi vida es el baile			
bailarín/-a, el / la	dancer	danseur/-euse	bailarino/-a
bebida, la	drink	boisson	bebida
rutina, la	routine	routine	rotina
hábito, el	habit	habitude	costume
continuar	to continue	continuer	continuar
entrenar	to train	entraîner	treinar
chulo/-a	great	chouette	legal
danza contemporánea, la	contemporary dance	danse contemporaine	dança contemporânea
cuidar	to look after	prendre soin	cuidar
calentamiento, el	warm-up	échauffement	aquecimento
brazo, el	arm	bras	braço
sano/-a	healthy	sain/-e	saudável
doler *(ue)*	to hurt	avoir mal	doer
espalda, la	shoulder	dos	costas
romperse	to break	se casser	quebrar
¡ME SIENTO BIEN!			
3. Hay que cuidarse			
refresco, el	soft drink	boisson sans alcool	refrigerante

	ENGLISH	FRANÇAIS	PORTUGUÊS
comida rápida, la	fast food	fast-food	comida rápida
actividad física, la	physical activity	activité physique	atividade física
relajación, la	relaxation	relaxation	relaxamento
regularmente	regularly	régulièrement	com frequência
como mínimo	at least	au moins	pelo menos
litro, el	litre	litre	litro
preferiblemente	preferably	de préférence	de preferência
salud, la	health	santé	saúde
movimiento, el	movement	mouvement	movimento
peso, el	weight	poids	peso
equilibrio, el	balance	équilibre	equilíbrio
mental	mental	mental/-e	mental
emocional	emotional	émotionnel/-elle	emocional
suficiente	sufficient	suffisant/-e	suficiente
relajarse	to relax	se détendre	relaxar-se

ESTAR

	ENGLISH	FRANÇAIS	PORTUGUÊS
estar cansado/-a	to be tired	être fatigué/-e	estar cansado/-a
estar nervioso/-a	to be nervous	être nerveux/-euse	estar nervoso/-a
estar sentado/-a	to be seated, sitting	être assis/-e	estar sentado/-a
estar tumbado/-a	to be lying down	être allongé/-e	estar deitado/-a
estar levantado/-a	to be up	être levé/-e	estar de pé

4. Opiniones de un especialista

	ENGLISH	FRANÇAIS	PORTUGUÊS
estar triste	to be sad	être triste	estar triste
concentración, la	concentration	concentration	concentração
ojo, el	eye	œil	olho
mover (ue)	to move	bouger	mover
cuello, el	neck	cou	pescoço
dieta, la	diet	régime	dieta
equilibrado/-a	balanced	équilibré/-e	equilibrado/-a
recomendar (ie)	to recommend	recommander	recomendar
fuerte	strong	fort/-e	forte
energía, la	energy	énergie	energia

EL IMPERATIVO

	ENGLISH	FRANÇAIS	PORTUGUÊS
andar *	to walk	marcher	andar
un rato	a while	un moment	um pouco

REGLAS, PALABRAS Y SONIDOS

EL IMPERATIVO

	ENGLISH	FRANÇAIS	PORTUGUÊS
saltar	to jump	sauter	pular
levantar	to lift	lever	levantar
gimnasio, el	gym	gymnase	academia
escalera, la	stairs	escalier	escada
cintura, la	waist	taille	cintura
moverse (ue)	to move	bouger	mover-se

RECOMENDACIONES Y CONSEJOS

	ENGLISH	FRANÇAIS	PORTUGUÊS
recomendable	recommendable	recommandable	recomendado/-a
cómodo/-a	comfortable	confortable	cômodo/-a
respuesta, la	reply	réponse	resposta
entregar	to hand in, to submit	remettre	entregar
repasar	to check	réviser, relire	revisar

EL CUERPO HUMANO

	ENGLISH	FRANÇAIS	PORTUGUÊS
rodilla, la	knee	genou	joelho
barriga, la	belly	ventre	barriga
codo, el	elbow	coude	cotovelo
nariz, la	nose	nez	nariz
boca, la	mouth	bouche	boca
cara, la	face	visage	cara

	ENGLISH	FRANÇAIS	PORTUGUÊS
LA REVISTA			
¡A bailar!			
ritmo, el	rhythm	rythme	ritmo
origen, el	origin	origine	origem
género musical, el	musical genre	genre musical	gênero musical
compositor/-a, el / la	composer	compositeur / compositrice	compositor/-a
actuación, la	performance	performance	show
EVALUACIÓN			
Comprensión lectora			
entrenamiento, el	training	entraînement	treinamento
nadador/-a, el / la	swimmer	nageur/-euse	nadador/-a
entrenador/-a, el / la	trainer	entraîneur	treinador/-a
medalla, la	medal	médaille	medalha
Expresión escrita			
kilo, el	kilo	kilo	quilo
últimamente	lately, recently	dernièrement	ultimamente

6. HOY ES FIESTA!

Planes para el fin de semana			
menú, el	set menu, meal deal	menu	cardápio
queso, el	cheese	fromage	queijo
helado, el	ice cream	glace	sorvete
mediano/-a	medium	moyen/-ne	médio/-a
jamón, el	ham	jambon	presunto
yogur, el	yoghurt	yaourt	iogurte
inscripción, la	registration	inscription	cadastro
videojuego, el	video game	jeu vidéo	videogame
de segunda mano	second hand	occasion, d'	segunda mão
maquillaje, el	make-up	maquillage	maquiagem
dibujante, el / la	cartoonist	dessinateur / dessinatrice	cartunista
entrada gratuita, la	free entry	entrée gratuite	entrada gratuita
útil	useful	utile	útil
¡POR FIN VIERNES!			
1. ¿Vienes?			
quedar	to arrange to meet	avoir rendez-vous	combinar um encontro
apetecer	to fancy, to feel like	avoir envie de	ter vontade
ir de compras	to go shopping	faire du shopping	ir de compras
IR Y SUS PREPOSICIONES			
metro, el	underground	métro	metrô
¡QUÉ RICO!			
2. ¿Bocadillos? Depende...			
bocadillo, el	sandwich	sandwich	sanduíche
consejo, el	tip, advice	conseil	dica
plato, el	dish	assiette	prato
chorizo, el	hard pork sausage	chorizo	linguiça
bocadillo vegetal, el	salad sandwich	sandwich végétarien	sanduíche vegetariano
mixto, el	*cheese and ham toast sandwich*	*sandwich jambon fromage*	misto quente
NOMBRES CONTABLES Y NO CONTABLES			
pan, el	bread	pain	pão
leche, la	milk	lait	leite
arroz, el	rice	riz	arroz
botella de agua, la	bottle of water	bouteille d'eau	garrafa de água
vaso de leche, el	glass of milk	verre de lait	copo de leite
plato de arroz, el	dish of rice	assiette de riz	prato de arroz

	ENGLISH	FRANÇAIS	PORTUGUÊS
zumo de naranja, el	orange juice	jus d'orange	suco de laranja

3. Vamos a tomar algo

	ENGLISH	FRANÇAIS	PORTUGUÊS
tener hambre	to be hungry	avoir faim	ter fome
servicio, el	toilet	toilettes	lavabo
al fondo	at the far end	au fond	no fundo
naranjada, la	orangeade, orange squash	orangeade	laranjada
agua con gas, el	sparkling water	eau gazeuse	água com gás
bolsa de patatas, la	bag of crisps	sachet de chips	bolsa de batata frita
ensalada mixta, la	mixed salad	salade mixte	salada variada
lechuga, la	lettuce	laitue	alface
espagueti, los	spaghetti	spaghettis	espaguete
pollo, el	chicken	poulet	frango
patatas fritas, las	chips	frites	batata frita
limonada, la	lemonade	citronnade	limonada

EN BARES Y RESTAURANTES

	ENGLISH	FRANÇAIS	PORTUGUÊS
postre, el	dessert	dessert	sobremesa
euro, el	euro	euro	euro

REGLAS, PALABRAS Y SONIDOS

ME GUSTA / ME GUSTARÍA

	ENGLISH	FRANÇAIS	PORTUGUÊS
piña, la	pineapple	ananas	abacaxi
manzana, la	apple	pomme	maçã
cola, la	Coca-Cola	*boisson gazeuse à base de cola*	fila

ALIMENTOS

	ENGLISH	FRANÇAIS	PORTUGUÊS
pasta, la	pasta	pâtes	massa
huevo, el	egg	œuf	ovo
embutido, el	sausage	charcuterie	carne processada
legumbres, las	pulse, legume	légumes secs	grãos

LA REVISTA

Comidas del mundo hispano

	ENGLISH	FRANÇAIS	PORTUGUÊS
harina, la	flour	farine	farinha
trigo, el	wheat	blé	trigo
cebolla, la	onion	oignon	cebola
picante	spicy	piquant	picante
ración, la	portion	ration	porção
frito/-a	fried	frit/-e	frito/-a
asado/-a	roast	grillé/-e	assado/-a
hervido/-a	boiled	bouilli/-e	cozido/-a
mezclado/-a	mixed	mélangé/-e	misturado/-a
añadir	to add	ajouter	adicionar
alimento, el	food	aliment	alimento

NUESTRO PROYECTO

	ENGLISH	FRANÇAIS	PORTUGUÊS
disfraz, el	fancy dress	déguisement	fantasia
anunciar	to advertise	annoncer	anunciar
programar	to programme	programmer	programar
invitación, la	invitation	invitation	convite
red social, la	social network	réseau social	rede social

EVALUACIÓN

Comprensión lectora

	ENGLISH	FRANÇAIS	PORTUGUÊS
fiesta sorpresa, la	surprise party	fête surprise	festa surpresa
repartirse	to share (out)	se répartir	distribuir
limpiar	to clean	nettoyer	limpar
decorar	to decorate	décorer	enfeitar
encargarse	to take care of	se charger	encarregar-se
vela, la	candle	bougie	vela

MI VOCABULARIO A-Z

	ENGLISH	FRANÇAIS	PORTUGUÊS
a la derecha de	to the right of	à droite	à direita do/-a
a la izquierda de	to the left of	à gauche	à esquerda do/-a
abandonar	to abandon	abandonner	abandonar
abrigo, el	coat	manteau	casaco
aburrirse	to get bored	s'ennuyer	ficar entediado
aceite, el	oil	huile	azeite, óleo
actividad física, la	physical activity	activité physique	atividade física
actor / actriz, el / la	actor, actress	acteur / actrice	ator, atriz
actuación, la	performance	performance	show
actualmente	currently	actuellement	atualmente
además	moreover	en plus	além disso
aeropuerto, el	airport	aéroport	aeroporto
afición, la	hobby	penchant, goût	torcida
agricultor/-a, el / la	farmer	agriculteur / agricultrice	agricultor/-a
agricultura, la	agriculture	agriculture	agricultura
agua con gas, el	sparkling water	eau gazeuse	água com gás
agua corriente, el	running water	eau courante	água corrente
ahí	there	là	aí
aire libre, el	open air	plein air	ar livre
al fondo	at the far end, at the back	au fond	no fundo
al lado de	next to	à côté de	ao lado do/-a
alcohol, el	alcohol	alcool	álcool
alimento, el	food	aliment	alimento
amar	to love	aimer	amar
amor, el	love	amour	amor
andar *	to walk	marcher	andar
animado/-a	lively	animé/-e	animado/-a
anorak, el	anorak	anorak	casaco
anteayer	day before yesterday	avant-hier	anteontem
antes	in the past	avant	antes
antiguo/-a	old	ancien/-ienne	antigo/-a
anunciar	to advertise	annoncer	anunciar
añadir	to add	ajouter	adicionar
aparcamiento, el	car park	stationnement	estacionamento
aparecer (zc)	to appear	apparaître	aparecer
apetecer	to fancy, to feel like	avoir envie de	ter vontade
aprobar (ue)	to pass	réussir	passar
aquí	here	ici	aqui
armario, el	wardrobe	armoire	armário
arquitectura, la	architecture	architecture	arquitetura
arroz, el	rice	riz	arroz
artista, el / la	artist	artiste	artista
asado/-a	roast	grillé/-e	assado/-a
atleta, el / la	athlete	athlète	atleta
atletismo, el	athletics	athlétisme	atletismo
autobús, el	bus	autobus	ônibus
avance tecnológico, el	technological progress	progrès technologique	avanço tecnológico
aventura, la	adventure	aventure	aventura
ayudar	to help	aider	ajudar
bádminton, el	badminton	badminton	badminton
bailarín/-a, el / la	dancer	danseur/-euse	bailarino/-a
baloncesto, el	basketball	basket	basquete
balonmano, el	handball	hand-ball	handball

	ENGLISH	FRANÇAIS	PORTUGUÊS
banco, el	bench	banc	banco
banda	band	bande	banda
bañarse	to swim	se baigner	tomar banho
baño, el	bathroom	salle de bains	banheiro
bar, el	bar	bar	bar
barriga, la	belly	ventre	barriga
barrio, el	district	quartier	bairro
bebida, la	drink	boisson	bebida
béisbol, el	baseball	base-ball	baseball
beso, el	kiss	baiser	beijo
boca, la	mouth	bouche	boca
bocadillo vegetal, el	salad sandwich	sandwich végétarien	sanduíche vegetariano
bocadillo, el	sandwich	sandwich	sanduíche
boda, la	wedding	mariage	casamento
bolsa de patatas, la	bag of crisps	sachet de chips	bolsa de batata frita
bombero/-a, el / la	firefighter	pompier	bombeiro/-a
bosque, el	forest	bois, forêt	campo
botas, las	boots	bottes	bota
botella de agua, la	bottle of water	bouteille d'eau	garrafa de água
brazo el	arm	bras	braço
bruja, la	witch	sorcière	bruxa
caballo, el	horse	cheval	cavalo
caja, la	box	caisse	caixa
calentamiento, el	warm-up	échauffement	aquecimento
calle, la	street	rue	rua
cambiar	to change	changer	mudar
camino, el	path	chemin	caminho
campamento, el	camp	campemant	acampamento
campeón/-a, el / la	champion	champion/-ionne	campeão / campeona
cantante, el / la	singer	chanteur/-euse / la	cantor/-a
cara, la	face	visage	cara
carrera, la	race	course	corrida
carril bici, el	cycle lane	piste cyclable	ciclovia
catedral, la	cathedral	cathédrale	catedral
cazar	to hunt	chasser	caçar
cebolla, la	onion	oignon	cebola
celebrar	to celebrate	fêter	comemorar
centro deportivo, el	sports centre	centre sportif	centro esportivo
centro, el	centre	centre	centro
cercano/-a	nearby	proche	próximo/-a
cereal, el	cereal	céréale	cereal
chaqueta, la	jacket	veste	jaqueta
charlar	to chat	bavarder	conversar
chorizo, el	hard pork sausage	chorizo	linguiça
chulo/-a	great	chouette	legal
ciencia, la	science	science	ciência
científico/-a, el / la	scientist	scientifique	cientista
cintura, la	waist	taille	cintura
ciudad, la	city	ville	cidade
civilización, la	civilisation	civilisation	civilização
cocina, la	kitchen	cuisine	cozinha
codo, el	elbow	coude	cotovelo
cola, la	Coca-Cola	*boisson gazeuse à base de cola*	fila
colgar *(ue)*	to hang up	accrocher	pendurar
comedor, el	dining room	salle à manger	sala de jantar
comerciante, el / la	trader, shopkeeper	commerçant/-e	comerciante
comida rápida, la	fast food	fast-food	comida rápida
comida, la	lunch	nourriture	comida

	ENGLISH	FRANÇAIS	PORTUGUÊS
como	how	comment	como
como mínimo	at least	au moins	pelo menos
cómodo/-a	comfortable	confortable	cômodo/-a
compositor/-a, el / la	composer	compositeur / compositrice	compositor/-a
comunicado/-a	accessible	desservi/-e	comunicado/-a
comunicarse	to communicate	communiquer	comunicar-se
concentración, la	concentration	concentration	concentração
concierto	concert	concert	show
concurso, el	competition	concours	concurso
conocer (zc)	to meet, to get to know	connaître	conhecer
conocido/-a	famous	connu/-e	conhecido/-a
consejo, el	tip, advice	conseil	dica
contaminación, la	pollution	pollution	contaminação
contento/-a	happy	content/-e	contente
continente, el	continent	continent	continente
continuar	to continue	continuer	continuar
convivir	to live together	cohabiter, vivre ensemble	conviver
correo electrónico, el	e-mail	courrier électronique	e-mail
cortarse el pelo	to get one's hair cut	se (faire) couper les cheveux	cortar o cabelo
costumbre, la	custom	coutume	costume
crecer (zc)	to grow up	grandir	crescer
creer	to believe	croire	acreditar
cristal, el	glass	verre	vidro
cristiano/-a	Christian	chrétien/-ienne	cristão, cristã
cuadro, el	painting	tableau	quadro
cuarto de baño, el	bathroom	salle de bains	banheiro
cuello, el	neck	cou	pescoço
cuidar	to look after	prendre soin	cuidar
cultivar	to cultivate, to farm, to till	cultiver	cultivar
cultura, la	culture	culture	cultura
curarse	to recover	guérir	curar-se
danza contemporánea, la	contemporary dance	danse contemporaine	dança contemporânea
danza, la	dance	danse	dança
dar una vuelta	to go for a walk, to hang out	faire un tour	dar uma volta
de mayor	when I grow up	à l'âge adulte	de grande
de segunda mano	second hand	occasion, d'	segunda mão
de vez en cuando	from time to time, now and again, occasionally	de temps en temps	de vez em quando
debajo de	under	dessous, sous	debaixo do/-a
deberes, los	homework	devoirs	deveres
decir (i)(g)	to say	dire	dizer
decorar	to decorate	décorer	enfeitar
dejar	to leave	abandonner isser	deixar
dejarse el pelo largo	to leave one's hair long	se laisser pousser les cheveux	deixar o cabelo comprido
delante de	in front of	devant	na frente do/-a
demás, los / las	others	autres	outros/-as
demasiado/-a	too much, too many	trop de	muito
dentro de	inside	à l'intérieur de	dentro do/-a
deportista, el / la	sportsman / sportswoman	sportif/-ive	esportista
desagradable	unpleasant	désagréable	desagradável
desaparecer (zc)	to disappear	disparaître	desaparecer
desarrollarse	to develop	se développer	desenvolver-se
descansar	to rest	se reposer	descansar
descubrimiento, el	discovery	découverte	descobrimento
detrás de	behind	derrière	atrás do/-a
dibujante, el / la	cartoonist	dessinateur / dessinatrice	cartunista

	ENGLISH	FRANÇAIS	PORTUGUÊS
dieta, la	diet	régime	dieta
director/-a de orquesta, el / la	conductor	chef d'orchestre	diretor de orquestra
disfraz, el	fancy dress	déguisement	fantasia
divertido	fun	amusant	divertido
divertirse *(ie)*	to have fun	s'amuser	aproveitar
dividir	to divide	diviser	dividir
doler *(ue)*	to hurt	avoir mal	doer
dolor, el	pain	douleur	dor
durante	during	pendant	durante
durar	to last	durer	durar
echar de menos	to miss	manquer, regretter	ficar com saudade
económico/-a	economic	économique	econômico/-a
ejército, el	army	armée	exército
electricidad, la	electricity	électricité	eletricidade
embutido, el	sausage	charcuterie	carne processada
emocional	emotional	émotionnel/-elle	emocional
empezar *(ie)*	to start	commencer	começar
en cambio	on the other hand, whereas	en revanche	em compensação
encantar	to love	adorer	adorar
encargarse	to take care of, to take charge of	se charger	encarregar-se
encima de	on top of	dessus, sur	em cima do/-a
encontrar *(ue)*	to find	trouver	achar
energía, la	energy	énergie	energia
enfermedad, la	illness	maladie	doença
engordar	to put on weight	grossir	engordar
ensalada mixta, la	mixed salad	salade mixte	salada variada
entonces	then, at that time	alors	então
entrada gratuita, la	free entry	entrée gratuite	entrada gratuita
entregar	to hand in, to submit	remettre	entregar
entrenador/-a, el / la	trainer	entraîneur	treinador/-a
entrenamiento, el	training	entraînement	treinamento
entrenar	to train	entraîner	treinar
época, la	period	époque	época
equilibrado/-a	balanced	équilibré/-e	equilibrado/-a
equilibrio, el	balance	équilibre	equilíbrio
equipo, el	team	équipe	equipe
escalera, la	stairs	escalier	escada
escribir a máquina	to type	écrire à la machine	escrever à máquina
escritor/-a, el / la	writer	écrivain/-e	escritor/-a
espagueti, los	spaghetti	spaghettis	espaguete
espalda, la	shoulder	dos	costas
especial	special	spécial/-e	especial
espejo, el	mirror	miroir	espelho
esquiar	to ski	skier	esquiar
estación de metro, la	underground station	station de métro	estação de metrô
estantería, la	shelf	étagère	prateleira
estar cansado/-a	to be tired	être fatigué/-e	estar cansado/-a
estar levantado/-a	to be up	être levé/-e	estar de pé
estar nervioso/-a	to be nervous	être nerveux/-euse	estar nervoso/-a
estar sentado/-a	to be seated, sitting	être assis/-e	estar sentado/-a
estar triste	to be sad	être triste	estar triste
estar tumbado/-a	to be lying down	être allongé/-e	estar deitado/-a
estudioso/-a	studious	studieux/-ieuse	estudioso/-a
estupendo/-a	marvellous	formidable	demais
euro, el	euro	euro	euro
excursión, la	trip	excursion	caminhada
existir	to exist	exister	existir
éxito, el	success	succès	sucesso

	ENGLISH	FRANÇAIS	PORTUGUÊS
fábrica, la	factory	usine	fábrica
faltar	to lack	manquer	faltar
fantástico/-a	fantastic	fantastique	maravilhoso/-a
farola, la	lamppost	réverbère	poste de iluminação
feliz	happy	heureux/-euse	feliz
fenomenal	fantastic	génial	demais
fiesta sorpresa, la	surprise party	fête surprise	festa surpresa
fin, el	end	fin	fim
final, el	end	fin	final
frito/-a	fried	frit/-e	frito/-a
fuente, la	fountain	source	fonte
fuerte	strong	fort/-e	forte
ganadero/-a, el /la	cattle farmer	éleveur / éleveuse	pecuarista/-a
ganador/-a, el / la	winner	gagnant/-e	vencedor/-a
ganar	to win	gagner	ganhar
género musical, el	musical genre	genre musical	gênero musical
gente, la	people	gens	pessoas
gimnasio, el	gym	gymnase	academia
golf, el	golf	golf	golfe
gorra, la	cap	casquette	boné
guardar	to put away	ranger	guardar
guerra, la	war	guerre	guerra
gustos, los	likes	goûts	gostos
habitante, el	inhabitant	habitant / habitante	habitante
hábito, el	habit	habitude	costume
hablador/-a	talkative	bavard/-e	tagarela
harina, la	flour	farine	farinha
hecho, el	event	fait	fato
helado, el	ice cream	glace	sorvete
hermoso/-a	beautiful	beau / belle	charmoso/-a, belo/-a
hervido/-a	boiled	bouilli/-e	cozido/-a
hip hop, el	hip hop	hip-hop	hip-hop
historia, la	story	histoire	história
hockey, el	hockey	hockey	hóquei
horrible	horrible	horrible	horrível
hospital, el	hospital	hôpital	hospital
hotel, el	hotel	hôtel	hotel
huevo, el	egg	œuf	ovo
iglesia	church	église	igreja
imperio, el	empire	empire	império
infancia, la	childhood	enfance	infância
inscripción, la	registration	inscription	cadastro
instituto, el	secondary school	lycée	ginásio / segundo grau
instrumento, el	instrument	instrument	instrumento
internacional	international	international/-e	internacional
inventar	to invent	inventer	inventar
invitación, la	invitation	invitation	convite
invitado/-a	guest	invité/-e	convidado/-a
invitar	to invite	inviter	convidar
ir de compras	to go shopping	faire du shopping	ir de compras
islámico/-a	Islamic	islamique	islâmico/-a
jamón, el	ham	jambon	presunto
judo, el	judo	judo	judô
juguete, el	toy	jouet	brinquedo
junto a	next to, near	près de	junto com a
juntos	together	ensemble	juntos
juventud, la	youth	jeunesse	juventude
kilo, el	kilo	kilo	quilo
lámpara, la	lamp	lampe	abajur
leche, la	milk	lait	leite

	ENGLISH	FRANÇAIS	PORTUGUÊS
lechuga, la	lettuce	laitue	alface
legumbres, las	pulse, legume	légumes secs	grãos
lejos	far	loin	longe
levantar	to lift	lever	levantar
libertad, la	freedom	liberté	liberdade
limonada, la	lemonade	citronnade	limonada
limpiar	to clean	nettoyer	limpar
limpio/-a	clean	propre	limpo/-a
litro, el	litre	litre	litro
llegar	to reach, to arrive	arriver	chegar
llevarse bien	to get on well (together)	s'entendre bien	se dar bem
luchar	to fight	lutter	lutar
lugar	place	lieu	lugar
madera, la	wood	bois	madeira
mágico/-a	magic	magique	mágico/-a
malas notas, las	bad marks	mauvaises notes	notas ruins
malo/-a	wicked, bad	méchant/-e	malvado/-a
mano, la	hand	main	mão
manzana, la	apple	pomme	maçã
maquillaje, el	make-up	maquillage	maquiagem
mayoría, la	most	majorité	maioria
medalla, la	medal	médaille	medalha
mediano/-a	medium	moyen/-ne	médio/-a
mental	mental	mental/-e	mental
menú, el	set menu, meal deal	menu	cardápio
mercado, el	market	marché	mercado
mesa, la	table	table	mesa
metal, el	metal	métal	metal
metro, el	underground	métro	metrô
mezclado/-a	mixed	mélangé/-e	misturado/-a
mezquita, la	mosque	mosquée	mesquita
minuto, el	minute	minute	minuto
mismo/-a, el / la	same	même	mesmo/-a
mixto, el	*cheese and ham toast sandwich*	*sandwich jambon fromage*	misto quente
mochila, la	rucksack	sac à dos	mochila
moneda, la	coin	pièce de monnaie	moeda
monopatín, el	skateboard	skate-board	skate
monumento, el	monument	monument	monumento
morir	to die	mourir	morrer
moto, la	motorbike	moto	moto
mover *(ue)*	to move	bouger	mover
moverse *(ue)*	to move	bouger	mover-se
movimiento, el	movement	mouvement	movimento
mueble, el	furniture	meuble	móvel
muerte, la	death	mort	morte
mujer, la	woman	femme	mulher
multiplicar	to multiply	multiplier	multiplicar
muñeca, la	doll	poupée	boneca
museo, el	museum	musée	museu
música rap, la	rap music	musique rap	rap
nacer *(zc)*	to be born	naître	nascer
nacimiento, el	birth	naissance	nascimento
nada especial	nothing special	rien de spécial	nada de especial
nadador/-a, el / la	swimmer	nageur/-euse	nadador/-a
nadie	no one, nobody	personne	ninguém
naranjada, la	orangeade, orange squash	orangeade	laranjada
nariz, la	nose	nez	nariz
natación, la	swimming	natation	natação
navegar	to sail	naviguer	navegar

	ENGLISH	FRANÇAIS	PORTUGUÊS
Navidades, las	Christmas (time)	Noël	Natal
negar (ie)	to refuse	refuser	negar
nevera, la	refrigerator	réfrigérateur	geladeira
normal	normal	normal/-e	normal
novio/-a, el / la	boyfriend / girlfriend	petit ami / petite amie	namorado/-a
objeto, el	object	objet	objeto
oír *	to listen	entendre	ouvir
ojo, el	eye	œil	olho
olvidar	to forget	oublier	esquecer
organizar	to organise	organiser	organizar
origen, el	origin	origine	origem
pacífico/-a	peace-loving	pacifique	pacífico/-a
pan, el	bread	pain	pão
papel, el	paper	papier	papel
papelería, la	stationer's shop	papeterie	papelaria
parada de autobús, la	bus stop	arrêt d'autobus	parada de ônibus
parque, el	park	parc	parque
participar	to participate	participer	participar
pasarlo bien	to have a good time	bien s'amuser	aproveitar
pasear	to go for a walk	se promener	passear
pasta, la	pasta	pâtes	massa
pastor/-a, el / la	shepherd / shepherdess	berger / bergère	pastor/-a
patatas fritas, las	chips	frites	batata frita
paz, la	peace	paix	paz
peinado, el	hairstyle	coiffure	penteado
pelota, la	ball	ballon	bola
perdón, el	forgiveness	pardon	perdão
pescar	to fish	pêcher	pescar
peso, el	weight	poids	peso
pez, el	fish (animal)	poisson	peixe
picante	spicy	piquant	picante
pie, el	foot	pied	pé
piloto, el / la	racing driver	pilote	piloto
pintar	to paint	peindre	pintar
pintor/-a, el / la	painter	peintre	pintor/-a
pintura, la	painting	peinture	pintura
piña, la	pineapple	ananas	abacaxi
pirata, el	pirate	pirate	pirata
piscina, la	swimming pool	piscine	piscina
planta, la	plant	plante	planta
plástico, el	plastic	plastique	plástico
plato de arroz, el	dish of rice	assiette de riz	prato de arroz
plato, el	dish	assiette	prato
playa, la	beach	plage	praia
plaza, la	square	place	praça
pobre	poor	pauvre	pobre
político/-a, el / la	politician	homme / femme politique	político/-a
pollo, el	chicken	poulet	frango
ponerse (g) lentillas	to put on contact lenses	mettre ses lentilles	pôr lentes de contato
por eso	therefore, and so	c'est pour cela	por isso
por fin	at last	enfin, finalement	finalmente
postre, el	dessert	dessert	sobremesa
preferiblemente	preferably	de préférence	de preferência
premiar	to award	récompenser	dar um prêmio
premio, el	prize	prix	prêmio
príncipe, el / princesa, la	prince, princess	prince / princesse	príncipe / princesa
principio, el	beginning	début	princípio
probar (ue)	to try	goûter	experimentar
producto típico, el	typical product	produit typique	produto típico/-a
profesión, la	profession	profession	profissão

	ENGLISH	FRANÇAIS	PORTUGUÊS
programar	to programme	programmer	programar
protagonista, el / la	star	personnage principal	protagonista
próximo/-a	next	prochain/-aine	próximo/-a
pueblo, el	village	village	vilarejo
puente, el	bridge	pont	ponte
puerta, la	door	porte	porta
puerto, el	port	port	porto
quedar	to arrange to meet	avoir rendez-vous	combinar um encontro
quedarse	to stay	rester	ficar
querer *(ie)*	to want	vouloir	amar
queso, el	cheese	fromage	queijo
quiosco, el	kiosk	kiosque	banca de jornal
ración, la	portion	ration	porção
racismo, el	racism	racisme	racismo
rana, la	frog	grenouille	rã
raqueta de tenis, la	tennis racket	raquette de tennis	raquete de tênis
raro	strange	bizarre	esquisito
recomendable	recommendable	recommandable	recomendado/-a
recomendar *(ie)*	to recommend	recommander	recomendar
red social, la	social network	réseau social	rede social
refresco, el	soft drink	boisson sans alcool	refrigerante
regularmente	regularly	régulièrement	com frequência
relajación, la	relaxation	relaxation	relaxamento
relajarse	to relax	se détendre	relaxar-se
religioso/-a	religious	religieux/-ieuse	religioso/-a
repartirse	to share (out), to divide (up)	se répartir	distribuir
repasar	to check	réviser, relire	revisar
respuesta, la	reply	réponse	resposta
restar	to subtract	soustraire	subtrair
restaurante, el	restaurant	restaurant	restaurante
rico/-a	rich	riche	rico/-a
ritmo, el	rhythm	rythme	ritmo
rodeado/-a	surrounded	entouré/-e	rodeado/-a
rodilla, la	knee	genou	joelho
romperse	to break	se casser	quebrar
ropa, la	clothes	vêtements	roupa
rugby, el	rugby	rugby	rugby
ruido, el	noise	bruit	barulho
rutina, la	routine	routine	rotina
saber *	to know	savoir	saber
salir *(g)*	to go out	sortir	sair
salón, el	living room	salon	sala
saltar	to jump	sauter	pular
salud, la	health	santé	saúde
sano/-a	healthy	sain/-e	saudável
ser humano, el	human being	être humain	ser humano
servicio, el	toilet	toilettes	lavabo
siempre	always	toujours	sempre
siglo, el	century	siècle	século
sillón, el	armchair	fauteuil	poltrona
sitio, el	place	endroit	lugar
situado/-a	located	situé/-e	localizado/-a
sofá, el	sofa	canapé	sofá
solamente	only	seulement	somente
solo/-a	alone	seul/-e	sozinho/-a
soñar *(ue)*	to dream	rêver	sonhar
subir	to climb	faire l'ascension de	subir
sucio/-a	dirty	sale	sujo/-a
suelo, el	floor	sol	chão

	ENGLISH	FRANÇAIS	PORTUGUÊS
sueño, el	dream	rêve	sonho
suficiente	sufficient	suffisant/-e	suficiente
sufrir	to suffer	subir, souffrir	sofrer
sumar	to add (up)	additionner	somar
supermercado, el	supermarket	supermarché	supermercado
suspender	to fail	échouer à un examen	reprovar
teléfono fijo, el	landline phone	téléphone fixe	telefone fixo
teléfono móvil, el	mobile phone	téléphone portable	telefone celular
televisor, el	television	téléviseur	televisão
tener ganas de	to want to	avoir envie de	estar com vontade de
tener hambre	to be hungry	avoir faim	ter fome
terminar	to finish	terminer	acabar
terraza, la	terrace	terrasse	terraço
territorio, el	territory	territoire	território
tienda de campaña, la	tent	tente de camping	barraca para acampar
tío/-a, el / la	uncle, aunt	oncle / tante	tio/-a
todavía	yet	toujours, encore	ainda
todos/-as	all	tous / toutes	todos/-as
tomar algo	to have a drink, to have a bite to eat	boire quelque chose	tomar alguma coisa
tranquilo/-a	quiet	tranquille	tranquilo/-a
trasporte, el	transport	transport	transporte
tren, el	train	train	trem
trenza, la	plait	tresse	trança
trigo, el	wheat	blé	trigo
tristeza, la	sadness	tristesse	tristeza
turista, el	tourist	touriste	turista
turístico/-a	tourist	touristique	turístico/-a
últimamente	lately, recently	dernièrement	ultimamente
último/-a	latest	dernier/-ière	último/-a
un rato	a while	un moment	um pouco
universidad, la	university	université	universidade
urbanización, la	housing estate	lotissement	condomínio
útil	useful	utile	útil
utilizar	to use	utiliser	utilizar
vacaciones, las	holidays	vacances	férias
vaso de leche, el	glass of milk	verre de lait	copo de leite
váter, el	toilet	cuvette des toilettes	privada
vecino/-a, el / la	neighbour	voisin/-e	vizinho/-a
vela, la	candle	bougie	vela
ver	to see	voir	ver
vestido, el	clothing	vêtement, robe	vestido
vestirse (i)	to get dressed	s'habiller	vestir-se
vez, la	time	fois	vez
viajar	to travel	voyager	viajar
viajero/-a, el / la	traveller	voyageur/-euse	viajante
videojuego, el	video game	jeu vidéo	videogame
vino, el	wine	vin	vinho
violencia, la	violence	violence	violência
violento/-a	violent	violent/-e	violento/-a
vivir	to live	vivre	viver
voleibol, el	volleyball	volley-ball	vôlei
volver (ue)	to return	rentrer	voltar
yogur, el	yoghurt	yaourt	iogurte
zapatillas, las	slippers	chaussures de sport	tênis
zumo de naranja, el	orange juice	jus d'orange	suco de laranja

PAÍSES DE HABLA HISPANA

ARGENTINA

Habitantes: 42 192 500
Superficie: 3 761 274 km^2 (incluida la Antártida y las islas del Atlántico Sur)
Moneda: el peso
Flor nacional: la flor de ceibo
Un animal: el pingüino magallánico
Capital: Buenos Aires
Clima: domina el clima templado pero hay clima tropical en el norte, árido en los Andes y frío en la Patagonia y en la Tierra del Fuego.

Principales productos: cítricos, cereales, vid, olivo, caña de azúcar, algodón, plátanos, ganado bovino y maderas nobles.
Lenguas: español (oficial), guaraní, mataco, quechua y mapudungun o lengua mapuche.
Cultura: en literatura destacan, entre otros, Jorge Luis Borges, Julio Cortázar y Ernesto Sábato. Destaca la arquitectura de la época colonial con el barroco iberoamericano. La manifestación cultural más conocida es, sin duda, el tango (la música y el baile) y algunas de sus figuras más representativas son Carlos Gardel, Julio Sosa y Astor Piazzola.
Más información: www.argentina.gov.ar

BOLIVIA

Habitantes: 10 027 254
Superficie: 1 098 581 km^2
Moneda: el boliviano
Flor nacional: la cantuta
Un animal: la llama
Capital: La Paz (capital administrativa), Sucre (capital histórica y jurídica).
Clima: varía con la altitud, húmedo y tropical o frío y semiárido.

Principales productos: minerales, petróleo, gas, soja y algodón.
Lenguas: español, quechua y aimara (oficiales).
Cultura: en literatura destacan en el siglo XX los novelistas Armando Chirveches y Jaime Mendoza. En arquitectura es característico el estilo mestizo, síntesis de elementos arquitectónicos hispanos y decorativos indígenas.
Más información: www.bolivia.gob.bo

CHILE

Habitantes: 16 634 603
Superficie: 2 006 625 km^2 (incluido el territorio chileno antártico)
Moneda: el peso
Flor nacional: el copihue
Un animal: el pudú
Capital: Santiago
Clima: templado en general pero más húmedo y frío en el sur.
Principales productos: minerales, cereales, vino y pesca.

Lenguas: español (oficial), aimara, quechua, mapuche, kaweshkar y pascuense (o rapanui).
Cultura: en literatura destacan Gabriela Mistral (premio Nobel en 1945), Vicente Huidobro, Pablo Neruda (premio Nobel en 1971) y José Donoso. En pintura, Roberto Matta. En cuanto a vestigios arqueológicos, hay que mencionar las construcciones megalíticas de Calar y Socaire, pertenecientes a la cultura atacameña. Son muy conocidas también las estatuas gigantes (moais) de piedra volcánica de la isla de Pascua.
Más información: www.ine.cl

COLOMBIA

Habitantes: 47 121 089
Superficie: 1 141 748 km^2
Moneda: el peso
Flor nacional: la orquídea Cattleya Trianae
Un animal: el delfín rosado
Capital: Santa Fe de Bogotá
Clima: tropical en la costa y en las llanuras del este, frío en las tierras altas.
Principales productos: café, banano, ganado, petróleo, gas, carbón, esmeraldas y flores.

Lenguas: junto con el español, conviven 13 familias lingüísticas amerindias con más de 80 lenguas. En algunas islas se habla el bende o creole y el palenque.
Cultura: las ciudades de Santa Fe de Bogotá, Tunja, Cartagena de Indias y Popayán conservan los más notables edificios de la etapa colonial. En literatura destaca Gabriel García Márquez (premio Nobel en 1982), autor de *Cien años de Soledad*, la obra más representativa del realismo mágico. Fernando Botero es el máximo representante tanto de la pintura como de la escultura colombianas de las últimas décadas. En la música actual sobresalen artistas como Carlos Vives, Shakira o Juanes.
Más información: www.presidencia.gov.co

COSTA RICA

Habitantes: 4 652 459
Superficie: 51 100 km^2
Moneda: el colón
Flor nacional: la guaria morada
Un animal: el yiguirro
Capital: San José
Clima: tropical, pero varía según la altura.

Principales productos: café, plátano, piña, cacao, caña de azúcar e industria informática.
Lenguas: español (oficial), inglés, criollo.
Cultura: hay una fuerte influencia de las tradiciones españolas, aunque las nativas americanas y la afroamericana han tenido también cierto impacto. La guitarra, el acordeón, la marimba y la mandolina son los instrumentos musicales tradicionales.
Más información: www.casapres.go.cr

CUBA

Habitantes: 11 242 628
Superficie: 110 922 km^2
Moneda: el peso
Flor nacional: la mariposa blanca
Un animal: el zunzún
Capital: La Habana
Clima: tropical
Principales productos: minerales, cereales, vino y caña de azúcar.

Lenguas: español.
Cultura: en literatura destacan Alejo Carpentier, Nicolás Guillén, Guillermo Cabrera Infante y Zoé Valdés. En la música, elemento clave de la cultura cubana, se pueden encontrar estilos propios como la guajira, el guaguancó y el son. **Figuras destacadas:** Compay Segundo, Silvio Rodríguez, Pablo Milanés y Celia Cruz.
Más información: www.cubagob.cu

ECUADOR

Habitantes: 15 761 731
Superficie: 270 667 km^2
Moneda: el dólar
Flor nacional: la rosa
Un animal: la tortuga
Capital: Quito
Clima: tropical en la costa, frío en el interior.

Principales productos: petróleo, hidrocarburos, plátanos, café, cacao, aceite de palma y caña de azúcar.
Lenguas: español (oficial) y quechua.
Cultura: el arte precolombino tuvo un desarrollo enorme y de él se conservan numerosos restos.
Más información: www.presidencia.gob.ec

ESPAÑA

Habitantes: 47 265 321
Superficie: 504 750 km^2
Moneda: el euro
Flor nacional: el clavel
Un animal: el lince ibérico
Capital: Madrid
Clima: mediterráneo y continental.
Principales productos: aceite, vino y frutas.
Lenguas: español, catalán, vasco y gallego.

Cultura: en poesía destacan, entre otros, Federico García Lorca y Antonio Machado. En novela, el autor clásico por excelencia es Miguel de Cervantes, autor de *El ingenioso hidalgo Don Quijote de la Mancha*. En pintura, los artistas más célebres son Goya, Velázquez, Picasso, Dalí y Miró.
Más información: www.lamoncloa.gob.es

EL SALVADOR

Habitantes: 6 288 899
Superficie: 21 041 km^2
Moneda: el dólar
Flor nacional: la flor de izote
Un animal: el triguillo
Capital: San Salvador
Clima: templado, pero varía según la altitud.

Principales productos: maíz, arroz, frijoles, café, tabaco, algodón, caña de azúcar y frutas tropicales.
Lenguas: español (oficial), inglés, pipil y lenca.
Cultura: se conservan restos de arte precolombino. De la civilización maya, destacan las ruinas de San Andrés, Cihuatán, Quelepa y Joya de Cerén.
Más información: www.presidencia.gob.sv

GUATEMALA

Habitantes: 15 500 000
Superficie: 108 890 km^2
Moneda: el quetzal
Flor nacional: la monja blanca
Un animal: el quetzal
Capital: Guatemala
Clima: tropical, aunque variable según la altitud.

Principales productos: maíz, plátano, café, caña, petróleo y minerales.
Lenguas: español (oficial), 21 idiomas mayenses distintos, xinca y garífuna.
Cultura: se conservan diversas ruinas de la civilización maya. En literatura, la figura más importante es Miguel Ángel Asturias (premio Nobel en 1967).
Más información: www.guatemala.gob.gt

HONDURAS

Habitantes: 8 264 000
Superficie: 112 190 km^2
Moneda: el lempira
Flor nacional: la orquídea
Un animal: el guacamayo
Capital: Tegucigalpa
Clima: tropical, con temperaturas más templadas en las montañas.

Principales productos: plátano, café, frijoles, algodón, maíz, arroz, sorgo y azúcar.
Lenguas: español (oficial), garífuna, tawahka, tol, pech y misquito.
Cultura: posee una gran riqueza arqueológica. Destacan los restos de la cultura maya, que se desarrolló sobre todo en Copán. En pintura sobresale el muralista Arturo López Rodezno.
Más información: www.presidencia.gob.hn

MÉXICO

Habitantes: 118 419 000
Superficie: 1 972 550 km^2
Moneda: el peso
Flor nacional: la dalia
Un animal: el jaguar
Capital: México D. F.
Clima: de tropical a desértico
Principales productos: tabaco; industrias química, textil, automovilística y alimentaria; hierro; acero; petróleo y minería.
Lenguas: español (oficial), más de cincuenta lenguas indígenas. Con mayor número de hablantes: el náhuatl, hablado por más de un millón de personas, el maya, el zapoteco y el mixteco.
Cultura: la cultura mexicana presenta una mezcla de tradiciones indígenas, españolas y norteamericanas. Mayas, aztecas y toltecas fueron los pueblos precolombinos de mayor importancia y de los cuales quedan numerosos vestigios. El arte fue considerado parte importante del Renacimiento nacional; los principales pintores mexicanos son Diego Rivera, David Alfaro Siqueiros, José Clemente Orozco y Frida Kahlo. En literatura destacan Octavio Paz (premio Nobel en 1990) y Juan Rulfo, autor de *Pedro Páramo*. Es importante también la producción teatral y la cinematográfica; en este último apartado hay que destacar también la etapa mexicana del director español Luis Buñuel.
Más información: www.mexicoweb.com.mx

NICARAGUA

Habitantes: 6 100 100
Superficie: 139 000 km²
Moneda: el córdoba
Flor nacional: el sacuanjoche, llamado flor de palo o flor de mayo
Un animal: el guardabarranco
Capital: Managua
Clima: tropical. Hay dos estaciones: la lluviosa, de mayo a octubre, y la seca, de noviembre a abril.

Principales productos: minerales, café, plátanos, caña de azúcar, algodón, arroz, maíz y tapioca.
Lenguas: español (oficial) y lenguas indígenas (misquito, mayagna e inglés creole).
Cultura: los vestigios arqueológicos son de gran interés. Descatan las urnas de la isla Zapatera. En literatura, sobresale Rubén Darío.
Más información: www.intur.gob.ni

PANAMÁ

Habitantes: 3 405 813
Superficie: 78 200 km²
Moneda: el balboa, el dólar estadounidense
Flor nacional: la flor del Espíritu Santo
Un animal: el águila arpía
Capital: Panamá

Clima: tropical. Hay dos estaciones: la lluviosa, de mayo a enero, y la seca, de enero a mayo.
Principales productos: cobre, madera de caoba, gambas, plátanos, maíz, café y caña de azúcar.
Lenguas: español (oficial), inglés, lenguas indias y garífuna.
Cultura: se conservan restos de culturas precolombinas. De la arquitectura colonial, destacan, en la capital, las ruinas de la ciudad vieja y la catedral.
Más información: www.presidencia.gob.pa

PARAGUAY

Habitantes: 6 672 933
Superficie: 406 752 Km²
Moneda: el guaraní
Flor nacional: el burucuyá
Un animal: el tagua
Capital: Asunción
Clima: subtropical, con muchas lluvias en la parte oriental y semiárido en la parte más occidental.

Principales productos: estaño, manganeso, caliza, algodón, caña de azúcar, maíz, trigo y tapioca.
Lenguas: español y guaraní (oficiales).
Cultura: en literatura destaca la figura universal de Augusto Roa Bastos (premio Cervantes en 1989).
Más información: www.presidencia.gov.py

PERÚ

Habitantes: 30 475 144
Superficie: 1 285 216 km²
Moneda: el nuevo sol
Flor nacional: la cantuta
Un animal: el cóndor andino
Capital: Lima
Clima: tropical en el este, seco y desértico en el oeste.
Principales productos: cobre, plata, oro, petróleo, estaño, carbón, fosfatos, café, algodón, caña de azúcar, arroz, maíz y patatas.

Lenguas: español (oficial en todo el territorio); quechua, aimara y otras lenguas (con carácter oficial en algunas zonas).
Cultura: hay que destacar las monumentales construcciones incas (Cusco y Machu Picchu). En literatura, sobresalen Mario Vargas Llosa y Alfredo Bryce Echenique.
Más información: www.peru.org.pe

PUERTO RICO

Habitantes: 3 706 690
Superficie: 8959 km^2
Moneda: el dólar estadounidense
Flor nacional: la flor de maga
Un animal: la paloma sabanera
Capital: San Juan
Clima: tropical

Principales productos: caña de azúcar, productos lácteos, farmacéuticos y electrónicos.
Lenguas: español e inglés (oficiales).
Cultura: como muestras de la arquitectura colonial, destacan el casco antiguo de San Juan y los castillos de San Cristóbal y de San Felipe del Morro.
Más información: www.gobierno.pr

REPÚBLICA DOMINICANA

Habitantes: 9 445 281
Superficie: 48 442 km^2
Moneda: el peso
Flor nacional: la flor del ciruelo
Un animal: la cornuda (iguana)
Capital: Santo Domingo
Clima: tropical con lluvias abundantes; en la costa es cálido y en la montaña, más fresco.

Principales productos: níquel, bauxita, oro, plata, caña de azúcar, café, algodón, cacao, tabaco, arroz, judías, patatas, maíz, plátanos y cerdos.
Lenguas: español (oficial), inglés, creole haitiano.
Cultura: la música y el baile son el núcleo de la cultura dominicana. Los ritmos más populares son el merengue, la bachata y la salsa.
Más información: www.presidencia.gov.do

URUGUAY

Habitantes: 3 286 314
Superficie: 175 013 km^2
Moneda: el peso
Flor nacional: la flor del ceibo
Un animal: el oso hormiguero (o yurumi)
Capital: Montevideo
Clima: entre templado y tropical, con escasas oscilaciones térmicas debido a la influencia oceánica.

Principales productos: carne, lana, cuero, azúcar y algodón.
Lenguas: español (oficial).
Cultura: en literatura destacan cinco figuras clave de la narrativa latinoamericana actual: Mario Benedetti, Eduardo Galeano, Juan Carlos Onetti, Cristina Peri Rossi y Antonio Larreta. En pintura, cabe señalar a Juan Manuel Blanes, Rafael Barradas y Pedro Figari.
Más información: www.turismo.gub.uy

VENEZUELA

Habitantes: 28 946 101
Superficie: 916 445 km^2
Moneda: el bolívar
Flor nacional: la flor de mayo
Un animal: el caimán del Orinoco
Capital: Caracas
Clima: tropical, moderado en las tierras altas.
Principales productos: petróleo, gas natural, minerales, maíz, sorgo, caña de azúcar, arroz, plátanos y hortalizas.

Lenguas: español (oficial) y lenguas indígenas.
Cultura: las artes visuales y la artesanía están muy presentes en Venezuela, pero la disciplina cultural más destacada es la música, una mezcla de ritmos europeos, africanos y aborígenes. En literatura, destacan Rómulo Gallegos, autor de *Doña Bárbara*, y Arturo Uslar Pietri, escritor y político, ganador del premio Príncipe de Asturias, uno de los más importantes de las letras españolas.
Más información: www.caracas.gob.ve